Für John in
Dankbarkeit für
eine langjährige
treue Freundschaft.

Herzlichst Ihr

San Francisco
27. Dez 1979

Ingeborg L. Carlson · Eduard Stucken

Eduard Stucken lesend.

„Ein Mann mittlerer Größe mit einem wundervoll schönen und zarten, aber doch männlich scharf geschnittenen Gesicht, aus dem zwei Augen dunkeln, in die zu schauen Glück bedeutet. Augen, die in viel Elend und Entsetzen blickten und die doch nicht das Lächeln verlernt haben, gewiß ein ganz fernes und stilles Lächeln."

Wolfgang Goetz, Die Literatur, 36. Jg., 1934, p. 444

Eduard Stucken
(1865-1936)

Ein Dichter und seine Zeit

vorgestellt

von

Ingeborg L. Carlson

Haude & Spenersche Verlagsbuchhandlung Berlin

© 1978 Haude & Spenersche Verlagsbuchhandlung GmbH, Berlin
Umschlagentwurf: Rudolf Flämig, Berlin
Satz: J. Klinkebiel, Oldenburg
Druck: Colordruck, Berlin

ISBN 3-7759-0182-5

Inhalt

Vorwort

Eduard Stucken, Seismograph und Warner vor dem kultur-feindlichen Ungeist seiner und unserer Zeit, Beschwörer der Vision des Triumphes der Technik über den homo sapiens, der sie geschaffen, Gelehrter, Künstler, Dichter und Fabulierer, ihm ist dieses Buch gewidmet.

Dank gebührt den beiden Menschen, die ihm in seinem Leben am meisten bedeuteten, seiner Witwe, Frau Anna Stucken, und seinem Sohn, Medizinaldirektor Dr. Tankred Stucken, für die Überlassung wertvollen Materials aus dem Stucken-Archiv in Berlin und besonders für den persönlichen Aspekt. Die Theaterwissenschaftlerin Frau Dr. Erika Sterz, Berlin, hat in aufopfernder Vorsorge und mit professionellem Sensorium die geographische Kluft überbrückt. Ferner danke ich meiner Universität, der Arizona State University, Tempe, Arizona, USA, für einen mir gewährten Forschungs-fundus.

Obwohl die vorliegende Arbeit den gleichen Dichter zum Gegenstand hat wie meine Erlanger Dissertation von 1961, geht sie weit über das dort Gesagte hinaus, da sie auf Grund von seitdem mir zugänglich gemachten Bildern, Briefen und weiteren Dokumenten völlig neu geschrieben werden konnte und mußte.

Tempe, Arizona   Ingeborg L. Carlson

Die Kugel

Ich habe eine Kugel aus Kristall,
die scheint ein steingewordner Wasserball,
wie Engelsleib durchsichtig, apfelgroß,
zart, schön wie ein Planet im Weltenall.

In der kristallnen Wölbung Widerschein
sind Sonne, Wolken, Bäume prangend klein.
So kannt ich Menschenaugen: fehlerlos,
den Himmel widerspiegelnd und von Stein.

aus: _Das Buch der Träume_, 1916, p. 43.

Abb. 1   Illustration für Gedicht _Die Kugel_, Originalsteindruck von
Ludwig von Hofmann zu Stuckens _Das Buch der Träume_,
Erich Reiß-Verlag, 1921,

Einführung, Stucken in heutiger Sicht

„Ich bin gespannt darauf, ihn nach so vielen Jahren wiederzusehen. Das meine ich ganz wörtlich: lesend ihn wiederzuschauen hoffe ich ... Beschriebenes Papier kann eine abgeschiedene Seele aus der Hölle zitieren oder aus dem Himmel ..." (*Lariòn*, p. 25). Wer ist heute gespannt auf Eduard Stucken? Die Antwort muß notgedrungen lauten, wenige, da Stuckens Name in der Öffentlichkeit heute so gut wie vergessen ist. Wir wollen uns hier den Beweis zur Aufgabe machen, daß sich die Wiederentdeckung Stuckens sehr wohl lohnt, wobei es dem einzelnen überlassen werden muß, ob ihn die Beschäftigung mit Stuckens Werk in die Hölle oder in den Himmel führt.

Nicht erst unsere Epoche leidet am Novitätenfimmel. In unserem Super-Zeitalter treten die Kontraste lediglich profilierter hervor, und die Überbetonung der Modernität der literarischen Produktion geht auf Kosten der traditionellen Dichter. Die Literaturkritik erklärt seit langem vor allem historische Stoffe für unzeitgemäß, und dem lesenden Publikum gelten sie demzufolge für tabu.

Eine Gegentendenz macht sich in den letzten Jahren bemerkbar.

Besonders *Merry Old England* wurde neu entdeckt. Die ideologische Auseinandersetzung Heinrichs VIII. mit Sir Thomas Moore und die psycho-somatische mit seinen sechs Frauen ist durch Bühne, Film und Fernsehen von San Francisco bis Berlin zum aktuellen Gesprächsstoff geworden, ebenso die Gestalt von Heinrichs Tochter Elisabeth, die ihrem Zeitalter ihren Namen aufprägte. Die jungfräuliche Königin wird durch Dramen, Fernsehserien, ja durch Musicals der Öffentlichkeit nahe gebracht, so daß man von einer Elisabeth-Epidemie sprechen muß. Die alten Themen werden frisch aufgeputzt, und die neuen Bearbeiter gehen fleißig bei den alten in die Schule, etwa Robert Bolt bei Schiller und Ferdinand Bruckner.

Bolts *Vivat! Vivat Regina!* von 1972 kulminiert in der Begegnung Elisabeths mit Maria Stuart. Das fiktive Zusammentreffen Elisabeths, der intellektuellen Herrscherfigur, deren defensives Handeln unter ihrem Geburtsstigma steht, mit Maria, dem sinnengebundenen Weib, das sich jedoch ständig des Machtanspruchs der geborenen Königin bewußt ist, erfand Schiller für seine *Maria Stuart*. Der effektvolle Einfall der Simultanszene, worin die beiden Gegner, der katholische Philipp von Spanien und die protestantische Elisabeth von England auf der gleichen Bühne, bei gespaltener Kulisse, den gleichen Gott um den Sieg anflehen, stammt von Ferdinand Bruckner, der in seiner *Elisabeth von England* 1930 das Thema des englischen Sieges über die spanische Armada behandelte.

Wird man nach der publikumserfolgreichen Neubelebung Heinrichs VIII. und seiner Tochter Elisabeth den Fortlauf der englischen Geschichte nach der Wiedereinsetzung der Stuarts in der Personalunion von Schottland und England unter Jakob, dem Sohn Marias, weiterverfolgen? Dann sollte

man den Bearbeitern als historische, kultursoziologische und psychologische, vor allem aber als dramatische Vorlage Eduard Stuckens Roman *Im Schatten Shakespeares* empfehlen, noch besser wäre freilich eine Dramatisierung oder Wiederauflage des Romans; denn selbst historische Romane werden allmählich wieder beachtet.

Autoren-Namen wie Peter Härtling, Stefan Heym oder Peter Motram haben die Bestsellerliste erklommen. Und die Frage: „Kann man heute noch historische Romane schreiben?" wird von Hans Erich Nossack[1] bejaht, zumal er als Verfasser des Romans *Dem unbekannten Sieger*[2] als Vertreter in eigener Sache fungiert. Nossack behauptet, Daniel Defoes *Journal of the Plague Year* sei direkt für uns geschrieben: „So direkt, daß ein zeitgenössischer Schriftsteller — ich spreche von Camus — die Epidemie als Parabel für das Leben unter der Diktatur nahm und den Satz hinzufügte: ‚Ich habe die unumstößliche Gewißheit, daß jeder die Pest in sich trägt.‘ "

Bei Stucken wird dieses Symbol der Pest in den „circulus vitiosus" der Schöpfung eingereiht. Nicht nur der Mensch ist der Feind des Menschen, „homo homini lupus", sondern alle Komponenten der Schöpfung liegen miteinander im ständigen Kampf. „Die Welt ist voller Teufel", heißt es in Stuckens *Giuliano*. Jede Tierart ist ein Satan, jede Menschenrasse, selbst die Elemente Feuer und Wasser. „Und die Teufelin Pest will unsern Planeten in ein stinkendes Aasfeld verwandeln" (*Giuliano*, p. 343).

Die Lebensbedingungen scheinen sich in der Geschichte der Menschheit wenig verändert zu haben. Wozu dann das historische Kostüm, fragt Nossack in dem bereits erwähnten Beitrag, und er meint dazu, indem der Autor „das Problem in die Vergangenheit versetzt, gewinnt er Distanz dazu und auch zu sich selbst. Die Distanz ermöglicht es ihm, das Problem von jeder streitsüchtigen Aktualität zu entgiften und eine Schlagzeilenwahrheit auf ihren menschlichen Wahrheitsgehalt hin abzutasten." Von diesen Voraussetzungen geht auch Stucken aus. Dies bezeugt der Aufsatz „Mußte ich *Die weißen Götter* schreiben?":

„Ohne die Erschütterungen des Krieges [WK I] hätte ich es mir nicht zum Ziel gesetzt, im Untergang Mexikos unsere Zeit und unser Schicksal zu spiegeln. Ob es mir gelang, mögen andere beurteilen. Aber vorgeschwebt hat mir ein Symbol: eine Art Götterdämmerung und Weltbrand, das Schreckensbild einer Kulturvernichtung, einer Kulturausrottung mit Stumpf und Stiel — wie sie seit Ninives und Ilions Fall immer wieder möglich gewesen ist und immer auf Erden möglich sein wird."[3]

Dem aufmerksamen Leser ergibt sich ohnehin der Aspekt, historische Begebenheiten auf seine eigene Zeitsituation zu beziehen, gleich, ob es sich wie in Stuckens Roman *Die weißen Götter* um die Vernichtung der mexikanischen Kultur durch die spanischen Eroberer des sechzehnten Jahrhunderts handelt oder um die Tyrannenwillkür eines Usurpators in den Frühtagen der Geschichte Britanniens, wie Vortigern,

Abb. 1   *Das Haar des Mondes*, Zeichnung von Fidus zu *Balladen* (1898).

dessen Schicksal Stucken in seiner gleichnamigen Tragödie gestaltete.

Muße und Zeit erwartet Stucken freilich von seinem Leser für den Strom der epischen Breite und die Fülle der Phantasie und gespannte Aufmerksamkeit zur Würdigung der minuziösen Details, mit denen er seine erzählende Prosa und seine Dramatik anreichert, auch seine Dramatik. Die Stirnen runzeln sich, also Bildungsdichter? – Kulturpoet im gleichen Sinn wie Goethe es war. Wer vermag ohne mythologisches Lexikon die Symbolbedeutung in *Faust II* zu erfassen – oder im Werk von Bert Brecht, Gottfried Benn, Nelly Sachs, Hans Magnus Enzensberger, um einige moderne Dichter zu ,beschuldigen'? Der wissenschaftliche Apparat bei Stucken ist beträchtlich. Seine mannigfaltigen kulturhistorischen Forschungen liefern ihm die Themen für seine Dichtung. Und doch läßt sich ohne assyrische oder religionsphilo-

sophische Vorkenntnisse ein Gedicht wie *Das Haar des Mondes* als Erlösungssehnsucht des sündigen Menschen verstehen, unabhängig von Raum und Zeit (Abb. 1 *Balladen*, Zeichnung Fidus, 1898).

> *Als ich dann die Welt des Lichts erklommen,*
> *hat der Mond mich auf den Schoß genommen,*
> *und sein langes silbern Haargelock,*
> *dessen Strähnen bis zur Erde kommen,*
> *hüllte er um mich wie einen Rock.*
>
> *Zum Geschenk gab ich ihm meine Tränen.*
> *Und èr rieb mit seinen Silbersträhnen*
> *alle Flecken meines Leibes ab,*
> *auch die Männerküsse all, mit denen*
> *ich bedeckt war, als ich stieg ins Grab.*
>
> *Und die Schwelle spricht: Tritt ein und künde*
> *Gottes Preis, daß Er dein Herz entzünde, –*
> *Freude sättigt Menschenherzen nicht!*
> *Durst nach Seligkeit war deine Sünde!*
> *Lösche deinen Durst im ewigen Licht!*

Nach dem Zweiten Weltkrieg ging mit dem allgemeinen Zusammenbruch Deutschlands im Jahre Null auch die Seele verloren. Die Kahlschlagprosa der Trümmerliteratur der Borcherts und Benders sah keinen Platz für sie vor. Aus einer ähnlichen geistigen Disposition schrieb Stucken im Jahre der Depression 1926 an Felix Braun: ,,Die Seele, lieber Freund, ist out-of-date" (29. 7. 26).

Für immer jedoch lassen sich die Gefühle nicht auf Eis legen, und Seele ist bei der heutigen Jugend auf einmal wieder modern geworden. Die Orientierung an den psychedelischen Mustern der Darstellungskunst des Jugendstils für den Lebensrhythmus der ,,now-generation" fällt dabei auf. Die literarische Komponente des Jugendstils, die Neuromantik, ist mit Hermann Hesse bereits ins Blickfeld gerückt. Stucken, ein Hauptvertreter der Neuromantik, bleibt noch wieder zu entdecken. ,,Deine Seele eine Flamme lohte" aus dem eingangs zitierten Gedicht *Das Haar des Mondes* ist ein Stuckensches Leitmotiv; allerdings haben wir es mit keiner Seele zu tun, die im Einklang mit sich selbst steht, auch nicht mit der bipolaren Fausts, eher mit der tausendfältigen des Steppenwolfs. Adrian Brouwer, ein typischer Stucken-Protagonist, reflektiert über sich selbst: ,,Ich bin ein kompliziertes Rechenexempel, inkommensurabel . . . Was Kuckuck, Freund, hast du eine Ahnung, wie ein Querschnitt durch mich aussieht!" (*Die Hochzeit Adrian Brouwers*, 1914, p. 119).

Adrians Bekenntnis: ,,Ja, meinst du denn, daß ich mich verstehe?" (p. 119), zeigt die Bedrohung der individuellen Existenz, die sich in der bangen Frage manifestiert: ,,Wer bin ich?" – Das spricht der Gralskönig Anfortas in *Zauberer Merlin*, einem Drama aus der keltischen Mythenwelt (*Der Gral*, p. 308), und diese Frage nach der eigenen Identität wurde zu einer Kardinalfrage des Menschen unserer Zeit. Die Antwort des Jugendstils lautete: ,,Selbst sein", in der Formulierung des vielumstrittenen Egon Schiele.[4] Um dieses Selbstsein ringen alle Gestalten in Stuckens Werk.

Abb. 2   *Lanval*, Aufführung im Burgtheater Wien, 1911.

In unserem Zeitalter der nicht mehr schönen Künste erwacht urplötzlich die Gier nach Schönheit. Einem wahren Schönheitstaumel verfällt die Generation der *beautiful people,* und darin folgt sie den Spuren Stuckens: ,,Seitdem ich das Feenkind geschaut aus Himmelsräumen" (Abb. 2 *Lanval* auf dem Burgtheater, Wien 1911, *Der Gral*, p. 423).

Jugendstil und Neuromantik, zusammen als ,,art nouveau" verstanden, ergaukelten sich ein ,,Ersatzparadies" auf die gleiche Weise, wie dies augenblicklich en vogue, im Erlebnis des Drogenrausches. Auch das hat die Generation Stuckens vorerlebt. Mit Haschisch, Opium, Mohnkapseln, experimentieren Stuckens Protagonisten; ein wildverzweifelter Versuch, die große Angst zu betäuben, dem Lebensrätsel näher zu rücken. Die Zeichnungen Ludwig von Hofmanns zu Stuckens Gedichtband *Das Buch der Träume* (Abb. 3) spiegeln die Seelenwirrnis des Drogenrausches. In ihrer Schwarzweißwiedergabe fehlt das psychedelische Farbenchaos, um als heutige Kunst zu gelten, während Stucken auch diese synästhetische Ausdrucksmöglichkeit in seinem Gedicht *Phantasie* mitschwingen läßt.

Süß hat der Saft geschmeckt —
schon lieg ich ausgestreckt . . .
Sause als Schwalbe hin;
Kondor bin ich und bin
Goldfisch; dann Salm, der in
Bergseen gefriert;
Kugel bin ich aus Glas;
Pfauenfeder, grün wie Gras,
die auf des Clownes Nas'
äquilibriert.

Kugel dann wie zuvor,
glüh ich als Meteor;
Irrlicht bin ich auf Moor;
bin ein Planet;
Ring, der Saturn umreift;
Stern, der lichtglanzgeschweift,
Milchstraßennebel streift,
flieg ich Komet.

Träumt mir die Wandlung bloß?
Ist's doch des Geistes Los,
daß er frei, fessellos,
Schranken zum Spott,
rührt an der Welten Saum!
Alles ist er im Raum!
Träumt das mein kranker Traum?
Träumt mich ein Gott? (1916)

Abb. 3   *Phantasie*, Lithographie von Ludwig von Hofmann   für *Das Buch der Träume*.

Im Drogentaumel verfällt der Mensch dem Dämon des Tanzes. Die Tanzmarathons unserer Tage sind bei Stucken vorausgenommen. Sein Tanzschauspiel *Die Opferung des Gefangenen* folgt einer Ritualorgie aus der vorkolumbischen Zeit Guatemalas. Die hyperbolischen Sprachbilder werden dem Leser, Hörer, Zuschauer in schmerzhafter Wiederholung und in betäubendem Rhythmus eingehämmert, im *Beat* der Primitiven, den der Dadaismus aufnimmt, mit dem uns heute jeder Musikautomat attackiert. Den Wortgesang der Menschenstimmen untermalt instrumentaler Trommelrhythmus in der Vertonung von Egon Wellesz von 1925: „Nun so bewillige mir die Mutter der kostbaren Federn, den leuchtenden Smaragd, deren Mund noch jungfräulich ist, deren Augen noch nicht berührt worden sind. Zum Geschenk haben will ich ihren Mund, zum Geschenk haben will ich ihr Antlitz; laß mich tanzen mit ihr, damit ich es kundtue innerhalb der großen Mauern des Palastes, in den vier Ecken, daß dies das höchste Wahrzeichen ist meines Todes und meines Endes hier zwischen Himmel und Erde. So mögen Himmel und Erde mit dir sein, König Hobtoh!" So bittet der zum Tode verurteilte gefangene Prinz Queché-Achi in *Die Opferung des Gefangenen* (p. 23).

In der bacchantischen Orgie offenbart sich das Urwesen der Welt. Der Skopze Nasàr im Rußland-Roman *Larion* deliriert in diesem Aufgehen der Materie im Geist, dem Einswerden mit Gott: „Ich bin Gott näher als andere. Wenn ich mich in unserem Schiff rasend und wirbelnd im Kreise drehe, zum flimmernden Schimmer geworden wie ein Kreisel — oh! das ist Seligkeit, wie andere sie nicht kennen! Dann bin ich nicht ein Mensch, dann bin ich ein Stern des Himmels, der vor seinem Schöpfer tanzt. Gott selbst wird dann Stern durch mich" (p. 268). Die Ekstase des Tanzes hebt das Individuum über sich selbst hinaus, und es verschmilzt in der „unio mystica" mit der Weltseele.

Wo sich der Zugang zu den oberen Mächten nicht erzwingen läßt, steigt man in die Abgründe der Menschenseele hinab. „Flectere si nequeo superos, acheronta movebo" aus Vergils *Aeneas* (7,312) stellte Sigmund Freud seiner *Traumdeutung* von 1900 voran. Die Generation Stuckens wendet sich vom sachlichen Fortschrittsglauben des 19. Jhs. zur Tiefenpsychologie und entwickelt einen Hang zum Okkulten. Eine ähnliche Tendenz macht sich in unseren technik-müden Tagen bemerkbar. Sechs Millionen Anhänger zählt heute allein der Arkan-Orden der Rosenkreuzer, der in Stuckens *Im*

Schatten Shakespeares eine große Rolle spielt, und den er mit Voodooismus und Satanismus verknüpft, wie dies in Haiti oder Kuba bekannt ist. Außer im Shakespeare-Roman kommt bei Stucken in dem erwähnten Drama *Vortigern* Satanismus vor und in den Romanen *Larion* und *Giuliano*. [5]

Ein makabrer Auferstehungsritus liegt der kannibalistischen Aztekenreligion zugrunde, die Stucken in *Die weißen Götter* ausführlich behandelt, „unio mystica" wörtlich verstanden. Die Einverleibung des Fleisches des geschlachteten Opfers, das zum Gott erklärt wurde, verleiht dem Kommunikanten einen Unsterblichkeitsanspruch. Historische Parallelen finden sich in Stuckens Rußland-Roman — und in der jüngsten Kriminalgeschichte, etwa in den Horrorprozessen Kaliforniens. [6]

Satan Antagonistes steht im Mittelpunkt von Stuckens Gralsdramatik. Stucken sieht Lucifer als gefallenen Engel und überträgt ihm die Doppelrolle des Höllenfürsten und des Gralskönigs Anfortas, Widersacher und Gnadenträger zugleich (Abb. 4). Eloa, die Hüterin der Seele des gefallenen Lichtengels, ruft Lucifer zu:

„Du bist ja Er! Du bist ja Gottes Sohn!
Das Gute und Böse ist seit Urbeginn schon
In der Tiefe Gottes gewesen" (*Lucifer, Der Gral*, 50).
Hier dämmert die Erkenntnis des Urzusammenhangs von Gut und Böse auf: „Im Urmeer waren wir eins — ich Teufel und Er", im ersten Zeitalter der Welt, sagt Lucifer (50). Durch die Spaltung von Gut und Böse brach das zweite Zeitalter des zerstörerischen Dualismus über die Welt herein.

Stuckens Werk durchglüht die chiliastische Hoffnung des Synkretismus, der Wiedervereinigung der Antipole in einem dritten Zeitalter, das auf dem Fundament der Liebe aufgebaut ist — „love" heißt auch heute wieder die Parole der Jugend. Aus der Apokatastasis von Gut und Böse erwächst für Stucken am Ende des Gralswerks die Idee des ewigen Weltfriedens: Dem gefallenen Lucifer wird prophezeit:

„Daß ein drittes Alter beginnt und sich ewig erstreckt,
Wenn dein Enkel, der Liebe Kind, das Morgenrot weckt
Und das Reich des Kreuzes versöhnt mit dem Heidentum
Und die Sündenwelt verschönt durch Menschentum,
Zwischen Gut und Böse jedwede Schiednis zernichtet,
Der Menschen und Engel Fehde und Zwiespalt schlichtet:
Eitel Wonne ist dann das Mühn des Menschengeschlechts,
Und aufwachsen wird und blühn die Pflanze des Rechts"
(*Lucifer, Der Gral*, 50).

Abb. 4, *Lucifer*, Aufführung in Dresden 1925.

1 Stucken zu seiner Zeit

Nach diesen Ausführungen erwarten wir, daß Stucken der junge Dichter der Jugend seiner Epoche war. Doch als er zu schreiben begann, regierte der Naturalismus. Die ersten fünfundzwanzig Jahre seines Schaffens verbrachte Stucken ungehört, bis die Erkenntnis der Gefahren eines technisierten Roboterdaseins im nüchternen Zivilisationsmenschen antirationalistische Reaktionen auslöste, die Stuckens Mysterienpoesie entgegenkamen.

„Am 30. März 1910 gab es in Max Reinhardts Kammerspielen in Berlin eine interessante Sensation: Eduard Stuckens fünfaktiges Mysterium *Gawan* erlebte seine Uraufführung und fand rauschenden Beifall bei Publikum und Presse. Da las man am Tage nach der Premiere in den Blättern der Residenz Urteile wie folgende: ‚Es ist wie ein großes, echt lyrisches Gedicht, das über die Sinne schleicht und sie festhält durch die Fülle seiner Bilder und die Kunst seiner Worte‘, oder: ‚Die meisterhafte Dichtersprache Stuckens, die sich abseits von der jambischen Heerstraße ein originelles, an mittelhochdeutsche Epik anklingendes Versmaß geschaffen, . . . hat den Erfolg errungen‘, oder ‚Stucken schreibt ein Mysterium mit künstlerischen Mitteln, und wer ihn als einen Rückschrittler tadeln wollte, müßte doch hinzufügen, daß er von allen denen, die unser Drama für überentwickelt ansehen und es in die Spur der Väter zurückdrehen wollen, das einzige Talent ist‘ u. a. Kurzum, man war — was selten geschieht — einig im Lobe dieses neuen jungen Dramatikers.

Dieser junge Dramatiker zählte aber bereits fünfundvierzig Lenze, als er sich seines großen Erstlingserfolges freuen durfte, ja, das aufgeführte Mysterium hatte sogar schon eine achtjährige Existenz zu verzeichnen, und nicht nur dieses Mysterium allein, auch etliche andere dramatische Arbeiten des Dichters waren längst veröffentlicht. Aber achtlos waren Theaterdirektoren und Dramaturgen an ihnen vorübergegangen. Sie fanden keinen Raum im Repertoire. So ist der ‚Fall Stucken‘ eines der traurigen und zugleich belehrenden Kapitel unserer Theatergeschichte geworden. Er hat gezeigt, wie schwer ein Dichter von Gottes Gnaden um die Palme des Erfolges ringen muß und daß es einem zweiten Kleist, wenn er erschiene, heutzutage genau so gehen würde wie seinem großen Vorgänger vor hundert Jahren. Die Kurzsichtigkeit der Kritik bei der Erkenntnis des wirklich Wertvollen bleibt sich eben stets gleich.

Ein anderer wäre vielleicht verblutet in diesem hartnäckigen endlosen Kampfe oder hätte verärgert über die Stupidität seiner Mitwelt die Flinte ins Korn geworfen und die Poesie an den Nagel gehängt. Stucken braucht das nicht; seine Mittel erlaubten es ihm, auszuharren und dem Gang des Schicksals ruhig zuzuschauen‘,“ schrieb Valerian Tornius 1912.[1]

Gar so leicht scheint dem Dichter die lange Wartezeit nicht gefallen zu sein. 1930 bekennt er in dem biographischen Aufriß *Heimat und Ahnen*, welch hohe Erwartungen ihn erfüllten, als der Bremer Dramaturg Heinrich Bulthaupt

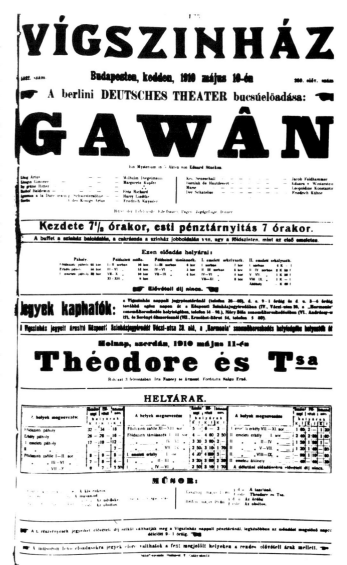

Abb. 1 *Gawan*, Theaterzettel der Reinhardt-Aufführung in Budapest 1910.

(1849—1905) in den achtziger Jahren dem jungen Stucken bei der „Bremer Literarischen Gesellschaft“ Gehör verschaffte und ihm eine glanzvolle Dichterlaufbahn voraussagte: „Auf die Erfüllung der damaligen Prophezeiungen habe ich 25 Jahre bis zum Erfolg meines Dramas *Gawan* am Deutschen Theater warten müssen“ (p. 69).

Die Magie der Gralswelt mit ihrer Erlösungsthematik begann das von der Wirklichkeitsbühne ernüchterte Theaterpublikum anzuziehen. Der Gnadengedanke liegt schon dem *Gawan* von 1903 zugrunde, dem entstehungsgeschichtlich ersten von Stuckens acht Gralsdramen. Gawan erreichte sechs Druckauflagen und wurde auch Stuckens erfolgreichstes Bühnenwerk. An die hundert Male wurde es zwischen 1909 und 1917 allein an den Reinhardtbühnen Berlins aufgeführt, mit einem Gastspiel in Budapest am 1. Mai 1910 (Abb. 1). An den Theatern von fünfzehn weiteren großen Städten von Danzig bis Wien wurde das Drama erfolgreich inszeniert. Die Stuckensche Dichtung hat „bei der hiesigen Uraufführung auf einen großen Teil des Publikums ungewöhnlich stark, ja faszinierend gewirkt", schreibt Hans von Gumppenberg, München 1907; die Welt des Grals gibt Stucken „den großen Lebensstoff und die eigene Form", Hans Franck, 1909. „In den Kammerspielen des Deutschen Theaters zu Berlin, auf einer Bühne, welche die verschiedensten Experimente mit den verschiedensten Mitteln versucht, hatte die Premiere von Gawan [sic] den größten Erfolg der Saison zu verzeichnen", Frida Ischak, 1910. „Dieses Märchen hat die ungeheure Glaubwürdigkeit psychischen Geschehens. Die Bühne der Seele hat sich vor uns aufgetan, und auf ihr wurden die Dinge des Psychischen uns zur höchsten bewegten Wirklichkeit", Ludwig Rubiner, 1910. [2]

Das Mysterium erlebte seine Premiere also in München. Dies erstaunt angesichts der kontroversen Rolle der Jungfrau Maria in diesem Stück als Versucherin und Retterin des Gralsritters. Arthur Drews [3] empfindet in dieser Widersprüchlichkeit das Drama als katholisierend, während Stuckens Gralssymbolik mir selber als zu komplex erscheint, um konfessionell festgelegt werden zu können. In Gawan gilt der Gral vor allem als Ausdruck der Reinheit. Der untadelige Held, der jeder Versuchung widersteht, ist „der Ritterschaft gralsähnlichste Blume" (Gawan, Der Gral, p. 368). Den Gegensatz dazu bildet Lanzelot, dem sich die Gnade des Grals durch sein sündiges Leben versagt, bewirkt doch die Entfesselung der Triebgewalt im Menschen den Einsturz der gesamten Gralswelt, und damit verbaut sich der Mensch selber den Weg zur Erlösung (Zauberer Merlin, Der Gral, p. 329).

Gawan ist das erste Beispiel für den Synkretismusgedanken in Stuckens Gralsepos und in seinem Schaffen überhaupt. Als Gawans Gegenspieler fungiert der Grüne Ritter. In Stuckens Grün die Farbe des Mondes von 1902 aus seinen Beiträgen zur orientalischen Mythologie, aus der gleichen Zeit in der Gawan entstand, stellt Stucken den Grünen Ritter als Vertreter des Mondkultes dar. Der Grüne Ritter als Personifikation der Finsternis und des Bösen per se wird von Gawan als dem Gegenspieler des Lichtes und des Guten durch seine Reinheit besiegt. Stucken hat „das Ringen von Gut und Böse, von ewigem Leben und Vernichtung um Gawains [sic] Seele und damit die Erlangung des Grals eingeführt", schreibt Otto Löhmann und Gertrud Jahrmann: „Das Abenteuer eines einzelnen wird erhoben zum Symbol für Allgemeingültiges und Ewiges. Leben und Tod, Sünde und Gnade – zu diesem Doppelklang steigert sich die dichterische Bearbeitung der alten Sage." [4]

Gawan wurde als einziges Werk Stuckens nach dem zweiten Weltkrieg aufgeführt, und zwar als Laienspiel der Gabriele von Bülow-Schule, Berlin 1952. Heinrich Amersdorffer, Sohn des General-Sekretärs der Akademie der Künste aus der Zeit von Stuckens Mitgliedschaft, richtete Gawan als Maskenpantomime ein. Stucken hätte die Maske wohl bejaht, da sie in ihrer verallgemeinernden Stilisation als Ideenträger wirkt und dabei zugleich das verwundbare Individuum gegen seine Umwelt abzuschirmen vermag.

Ergeben sich heute bei der Erwähnung des Namens Stucken Assoziationen zu dem Roman Die weißen Götter, zu seinen Lebzeiten galt er in erster Linie als Bühnendichter. Das Deutsche Schauspielhaus Hamburg, an dem Stuckens Tristram und Ysolt und Die Hochzeit Adrian Brouwers dargestellt worden waren, feierte 1925 das 25jährige Jubiläum mit dem eigens für diese Gelegenheit verfaßten szenischen Prolog von Stucken, Die Flamme. Auch zur Gedenkfeier der Akademie der Künste Berlin zu Beethovens 100. Todestag am 26. März 1929 wurde Stucken um ein Weihgedicht gebeten.

Stuckens Werke wurden in zahlreiche Sprachen übersetzt. Neben der späten Erzählung Blizzard (1935), deren Handlung Stucken in seine eigene Zeit verlegt, schrieb er als einziges Werk mit zeitgenössischem Stoff das Drama Myrrha, das in der japanischen Übersetzung Hikoki, Das Flugzeug, die Modernität des Themas betont, den Konflikt eines Flugzeugkonstrukteurs zwischen seinem seelischen Problem als Mensch und Erfinder. Wir werden bei der näheren Betrachtung dieses Schauspiels erkennen, daß Stucken hier visionär den Horror des Luftpiratentums unserer Tage beschwört.

Abb. 2 Wisegard, Titel der russischen Übersetzung von Schabelskoy, Bibliothek Leningrad.

Abb. 3   2 Zeichnungen von Fidus zu *Wisegard* aus *Balladen.*

ЭД. СТУККЕН и А. ЛУНАЧАРСКИЙ

С 88

БАРХАТ И ЛОХМОТЬЯ

(СВАДЬБА АДРИАНА ВАН БРОУЭРА)

Драма в 8 картинах

1 * 9 * 2 * 7

МОСКОВСКОЕ ТЕАТРАЛЬНОЕ ИЗДАТЕЛЬСТВО

Abb. 4   *Die Hochzeit Adrian Brouwers* in der russischen Übersetzung *Samt und Lumpen* von A. Lunatscharskij.

In russischer Übersetzung erschien Stuckens frühe Schauerballade *Wisegard* von 1898 unter dem Namen *Deutheria* (Abb. 2 und 3), der Königin, Mutter und Gegenspielerin der nixenhaften Wisegard im Kampf um den geliebten Mann, den schwankenden Ritter Theodobert. Angeregt wurde die Übertragung vermutlich durch die dem russischen Märchen verwandte Wasserdämonologie.

Unter dem Titel *Samt und Lumpen* wurde 1927 in Rußland auch Stuckens Tragikomödie um den niederländischen Gossen- und Spelunkenmaler Adrian Brouwer (ca. 1606–1638) mit dem Stucken-Titel *Die Hochzeit Adrian Brouwers* aufgeführt am Akad. Puschkin Theater in Leningrad und am Maloro Theater in Moskau, übersetzt und verständnisvoll, doch aus ideologischen Gründen einseitig kommentiert von Anatoli Lunatscharskij (Abb. 4).

Von den großen Romanen Stuckens wurden zwei mehrfach übersetzt. *Im Schatten Shakespeares* kam 1931 in Prag unter dem Titel *Ve Stinu Shakespeara*, übertragen von Karel Hoch, heraus. Die englische Titelformulierung der Übersetzerin Marguerite Harrison betont die kulturgeschichtliche Seite des Werkes: *The Dissolute Years*, die Jahre der Auflösung,

der Zersetzung, des Untergangs einer Kultur. Dies ist das Urthema Stuckens besonders in seiner erzählenden Prosa: die Zerstörung der Kultur durch den Ungeist des Fanatismus, gleich welcher Prägung. „Nicht ‚Hie Rom!‘ und ‚Hie Wittenberg!‘ heißt die Losung, sondern ‚Hie Shakespeare!‘ und ‚Hie Caliban!‘ Schon lauert ja Caliban auf den Weltkampf, der beide Parteien aufreiben wird. Ist das geschehen, so wird Caliban der Aasgeier, der Überlebende, der Endsieger sein. Der Caliban unserer Zeit aber ist der Puritaner" (*Im Schatten Shakespeares*, p. 168).

Die Zerstörung einer Hochkultur durch religiösen Fanatismus und primitiven Materialismus stellt Stucken auch in dem Werk dar, das ihn weltberühmt machte, dem Roman *Die weißen Götter*, der die Vernichtung des Aztekenreiches durch die Spanier schildert. Der Roman wurde ins Englische übersetzt, ins Lettische (*Baltie Dievi*, Osvald Krumins, Mullsjö, Schweden 1946), ins Slowenische (*Bogo Pregelj*, Ljubljana 1957). Die Holzschnitte von Hendrik Glintenkamp für die

17

The Great White Gods

AN EPIC OF THE SPANISH INVASION OF MEXICO
AND THE CONQUEST OF THE BARBARIC AZTEC
CULTURE OF THE NEW WORLD

EDUARD STUCKEN

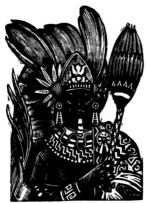

Woodcuts by H. GLINTENKAMP

Farrar & Rinehart, Inc.

ON MURRAY HILL NEW YORK

Abb. 5 *Die weißen Götter*, amerikanische Ausgabe als *The Great White Gods* mit Holzschnitten von Hendrik Glintenkamp.

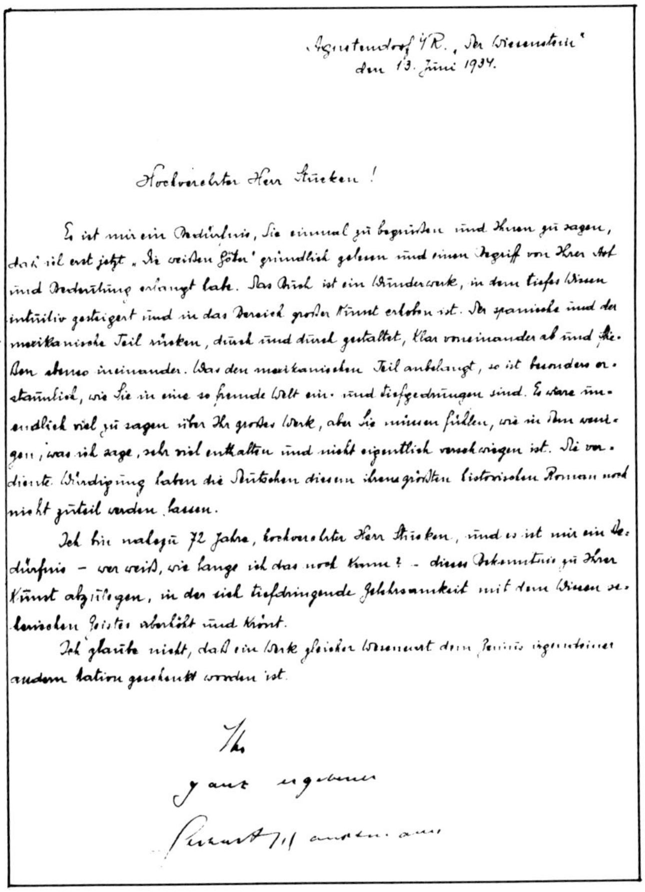

Agnetendorf i/R., „Der Wiesenstein"
den 13. Juni 1934.

Hochverehrter Herr Stucken!

Es ist mir ein Bedürfnis, Sie einmal zu begrüßen und Ihnen zu sagen, daß ich erst jetzt „Die weißen Götter" gründlich gelesen und einen Begriff von Ihrer Art und Bedeutung erlangt habe. Das Buch ist ein Wunderwerk, in dem tiefes Wissen intuitiv gesteigert und in das Bereich großer Kunst erhoben ist. Der spanische und der mexikanische Teil wirken, durch und durch gestaltet, klar voneinander ab und fließen ebenso ineinander. Was den mexikanischen Teil anbelangt, so ist besonders erstaunlich, wie Sie in eine so fremde Welt ein- und tiefgedrungen sind. Es wäre unendlich viel zu sagen über Ihr großes Werk, aber Sie müssen fühlen, wie in dem Wenigen, was ich sage, sehr viel enthalten und nicht eigentlich verschwiegen ist. Die verdiente Würdigung haben die Deutschen diesem ihrem größten historischen Roman noch nicht zuteil werden lassen.

Ich bin nahezu 72 Jahre, hochverehrter Herr Stucken, und es ist mir ein Bedürfnis – wer weiß, wie lange ich das noch kann? – dieses Bekenntnis zu Ihrer Kunst abzulegen, in der sich tiefdringende Gelehrsamkeit mit dem Wissen seherischen Geistes ablöst und krönt.

Ich glaube nicht, daß ein Werk gleichen Wesens dem Genius irgendeiner andern Nation geschenkt worden ist.

Ihr
ganz ergebener
Gerhart Hauptmann

Abb. 6 Faksimile eines Briefes von Gerhart Hauptmann an Stucken, 13. Juni 1934.

amerikanische Ausgabe *The Great White Gods*, Frederick H. Martens, New York 1935, erzielen gerade durch die Beschränktheit des Mediums eine Intensivierung, die Stucken schätzte. Er schrieb an den Illustrator seines *Buches der Träume*, Ludwig von Hofmann: „Ihre Holzschnitte zum Hohen Lied sind Musik von ganz mystischem Klang. Jede Linie tönt und singt – unvergleichlich schön und unvergleichbar. Und wieder erwacht ist in mir die Sehnsucht und die Hoffnung: Sie könnten vielleicht einmal eins meiner Bücher durch Holzschnitte verschönen" (21. 12. 1921) (Abb. 5).

Als kongenialer Neuromantiker und Verfasser themenverwandter Dramen wie *Der weiße Heiland* und *Indipohdi* zollt selbst der sonst Stucken gegenüber kühle Distanz bewahrende Gerhart Hauptmann dem Autor der *Weißen Götter* seinen Tribut: (Abb. 6).

Stucken war Mitte Fünfzig, als der Mexiko-Roman erschien. In dem bereits herangezogenen Aufsatz „Mußte ich *Die weißen Götter* schreiben?" bemerkt er jedoch, daß er die ersten ethnologischen Eindrücke dazu als Kind in seiner Geburtsstadt Moskau empfing, im Zusammenprall fremder Kulturen: „War ich prädestiniert für mein Werk? ... In Moskau, wo ich meine ersten Lebensjahre verbrachte, sah ich auf den Straßen die verschiedenartigsten Völkertypen in ihren Volkstrachten: Tscherkessen, Chinesen, Kirgisen, Saken, Tschermissen, Kalmücken ... So erlebte ich schon als kleines Kind Asiens groteskes Aufeinanderplatzen mit den behandschuhten, Frack und Zylinder tragenden Halbeuropäern. In die Moskauer Internationale Anthropologische Ausstellung 1872 nahmen meine Eltern mich, den damals Siebenjährigen, des öfteren mit. Was ich dort sah, war eine Ergänzung zum Anschauungsunterricht der Straße."

Dieses Sammeln und Aufspeichern ist typisch für Stucken. Das Gedächtnis des Dichters war ein stupendes Reservoir, in dem einmal Gesehenes und Beobachtetes, auf Jahrzehnte gestapelt, photographisch reproduziert und scharf profiliert hervorgebracht werden konnte. „Mütterchen Moskau war ein Wallfahrtsort — hatte es doch 415 Kirchen (und auf jeder dieser Kirchen funkelten drei oder fünf oder dreizehn Kuppeln, dunkelblaue oder lauchgrüne oder allgoldene Kuppeln!). Mütterchen Moskau war ein Basar — strömten doch Armenier und Chinesen und Bucharen, Griechen, Kalmücken, Grusiner und Sarten dort zusammen, um Teppiche, Seidenstoffe, Tee, Zobel, Marderfelle feilzuhalten. Mütterchen Moskau war vor allem ein Heiratsmarkt — denn fast jeder der Magnaten, deren Gutshöfe über das grenzenlose Reich verstreut lagen, hatte einen Palast oder wenigstens ein Haus in Moskau, wo er zu Wintersanfang mit seiner Familie und seinen Hausleibeigenen einzog, damit seine Frau die Töchter auf Bälle führen und er selbst sich anderweit schadlos halten, sich vom Schlaraffenleben der Sommermonate erholen konnte. So sorgten Mütter, Töchter und auch die Väter für die Erhaltung der Menschheit. Jahraus, jahrein war das umfangreichste Gebäude Rußlands, das Moskauer Findelhaus, mit 10.000 (zehntausend!) Kindern angefüllt und überfüllt. Es lebte sich gut im bon vieux temps" (*Lariòn*, 1925, p. 101—102).

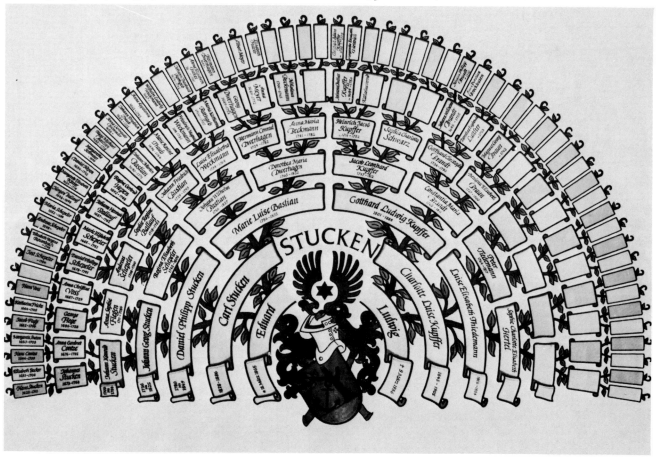

Abb. 1   Stammbaum mit Wappen von Eduard Stucken.

Abb. 2 Der Ethnologe Adolf Bastian (1826–1905), Gründer des Völkerkundemuseums in Berlin, Großonkel E. Stuckens.

Die Verbindung mit der Vergangenheit gehört zu Stukkens Traditionsbewußtsein, dem er sich als Dichter und als Mensch verpflichtet fühlte, verwurzelt, der Bedeutung seines Namens entsprechend: Baumstamm. Um die Herkunft dieses Namens zu betonen, bestand er darauf, ihn niederdeutsch ‚St-ucken' auszusprechen (Abb. 1). Das Symbol des Baumes, fest verwurzelt, doch weit verzweigt, und das des Ankers, Zubehör des Schiffes auf weltoffener See, sind Charakteristika der Familie, deren Beziehungen — für damalige Zeit außergewöhnlich — bis Japan reichten. Ein Vetter Stuckens war deutscher Vizekonsul in Moskau bei Ausbruch des ersten Weltkrieges, ein anderer Verwandter österreichischer Konsul in Mailand zur gleichen Zeit. Endlich Stucken selber. Er war den größten Teil seines Lebens ansässig in Berlin, unternahm aber zahlreiche Reisen und fühlte sich geistig zu Hause in vielen Epochen und Ländern.

Der Name des Mannes, der den tiefsten Eindruck auf ihn machte, war der Adolf Bastians (1826–1905), (Völkerkundler und Sagenforscher und Gründer des Völkerkundemuseums in Berlin): „Für mich ist die Verwandtschaft mit Adolf Bastian schicksalhaft geworden", schreibt er in *Heimat und Ahnen* (p. 68) (Abb. 2). Besonders seit dem Besuch der Moskauer Anthropologischen Ausstellung wollte er ein zweiter Bastian werden.

Namen aus Stuckens Stammbaum tauchen in seinem dichterischen Werk auf, wie der des Erfinders Dwerhagen in *Myrrha*. Das Schicksal der mütterlichen Vorfahren spielt eine Rolle in *Lariòn*. Dort wird die Geschichte der Geigenspielerin Enida Morosini erzählt, der unehelichen Tochter einer italienischen Marchesa und ehemaligen deutschen Räuberbraut, die als Geliebte eines Napoleonischen Generals mit diesem nach Rußland ging. Auf dem Rückzug der geschlagenen Armee des Kaisers verunglückte der Wagen mit der schwangeren Enida, und die Sterbende gebar eine Tochter Julia, in Stuckens Ahnenreihe Luise Elisabeth Thiedemann, Mutter von Stuckens Mutter, der ein ähnliches Unglück zustieß. Als sie, ebenfalls ein Kind erwartend, einen Reiseunfall erlitt, kam zwar die junge Frau mit dem Leben davon, aber ein mit ihr in der russischen Kutsche fahrendes Kind wurde getötet, und Stuckens Großmutter war seitdem schwermütig, wie die Duchesa Eleonora, die Gattin Cosmos I. de Medici in Stuckens Roman *Giuliano* durch den Verlust ihrer Kinder.

Der 1780 in Münden geborene Großvater Daniel Philipp Stucken „lebte als begüterter Kaufmann in Bremen. Seine Vorfahren waren teils Bauern bei Münden, teils Zillenbesitzer gewesen. Das ursprünglich nordfriesische Geschlecht ist im Mittelalter südwärts gewandert. Schon im Jahre 1401 besaßen die Stuckens das Salzprivileg auf der Werra und Weser ... 1848 fuhr mein Vater von Bremen nach Frankfurt a. M. und stand, ein jugendlicher Zuschauer, inmitten der begeisterten Menge vor und auch in der Paulskirche. Ein Jahr darauf ging er — wie so viele Deutsche damals — nach Amerika", schreibt Stucken in einer Autobiographie für den Horenverlag (Abb. 3).

Über die Vereinigten Staaten gelangte Carl Stucken nach Moskau, wo er den Rußlandzweig des Kaufmannsunternehmens Stucken leitete. Dort verheiratete er sich mit Charlotte Luise Kupffer (Abb. 5), Tochter eines wohlhabenden Kurländer Handelsmanns, der sich ebenfalls an der Newa niedergelassen hatte und eine Ehe mit Luise Elisabeth Thiedemann eingegangen war, die Stucken als „die legendäre Harfenspielerin" bezeichnet, die als „neue Mignon" in *Lariòn* Kurland durchwandert. Die Harfe wird für Stucken zur Chiffre des Musischen und durchzieht sein ganzes Werk, von der frühen Tragödie *Yrsa* (1897), wo die Heldin als Kind von einem Skalden in einer Goldharfe verborgen in Sicherheit gebracht wird, bis zu den letzten Balladen der *Insel Perdita* (1935).

Auf diesen mannigfach verschlungenen und für ihn so charakteristischen Wegen kam der deutsche Dichter und geistige Weltbürger Ludwig Eduard Stucken am 18. März 1865 in Moskau als Sohn eines amerikanischen Staatsbürgers zur

Abb. 3 u. 4   Carl Stucken, Vater des Dichters, Bremer Kaufmann, Links unten sitzend, an der Ecke, mit hellen Hosen, 1848 vor seiner Auswanderung nach Amerika und in späteren Jahren.

Welt. Erst als er dreizehn oder vierzehn Jahre alt war, wurde Stucken zusammen mit seinem Vater Reichsdeutscher (Abb. 6).

Bereits mit elf Jahren verließ Stucken das Land seiner Kindheit und kehrte 1898 nur noch einmal dorthin zurück, als er im Auftrag des Fischerverlags Tolstoi in Jasnaja Poljana besuchte. Der widersprüchliche Eindruck, den Tolstoi dabei auf Stucken machte, geht aus den Worten seines Freundes Wolfgang Goetz hervor: „Der Zwiespalt in diesem Mann [Tolstoi] ist so groß, daß man bisweilen nicht weiß, was ihm Wahrheit ist. Als Eduard Stucken ihn fragt, was er jetzt lese, antwortet er: ‚je ne lis que la bible.‘ Aber bei Tisch beklagt er sich zornig über seinen deutschen Verleger S. Fischer, der nicht genug für seine Werke tue."[1] Mag ihm der Mensch Tolstoi schwach erscheinen, die Dichterpersönlichkeit

bleibt: „Als ich einst Tolstoi in Jasnaja Poljana besuchte, äußerte er sich skeptisch über die Gesetze der Ästhetik und sagte: ‚Die Quintessenz ist doch nur: ich weine und zwinge dich zu weinen; ich lache und zwinge dich zu lachen. Nur darauf kommt es an, und wer das vermag, ist ein Dichter‘ "[2] (Abb. 7).

Stucken behauptete zwar, daß er sich innerlich gänzlich von seinem Geburtsland abgewandt habe. Er schreibt an Felix Braun: „Ich habe nun einmal die Antipathie gegen alles Sarmatische und bin nach Westen eingestellt" (23. 6. 29). Doch Rußland ist nicht nur Schauplatz seiner ersten im Druck erschienenen Dichtung, der Verserzählung *Die Flammenbraut* (1892) und des religionspsychologischen *Lariòn*, der Moloch Rußland, durchgeistert auch seine Träume (Abb. 8).

21

Abb. 5   Charlotte Luise Stucken, geb. Kupffer, Eduards Mutter.

Abb. 6   Frühes Bild von Eduard Stucken in Kosackentracht in seiner Geburtsstadt Moskau.

Abb. 7   Leo Tolstoi, Zeichnung von L. Pasternak, aus: Wolfgang Goetz, *Geschichte der Literatur*, Frankf. M./Wien/Zürich, 1961, p. 316–318.

Abb. 8   *Die Zwiebel*, das Enigma des Molochs Rußland durchgeistert die Träume des Dichters Eduard Stucken bis in die Zeichnungen seiner *Grotesken*, 1923.

Russisch war die Unterrichtssprache des Kreimannschen Gymnasiums, das Stucken von 1873–76 in Moskau besuchte. Englische und französische Gouvernanten betreuten das Kind. Die polyglotte Erziehung legte das Fundament für Stuckens enzyklopädisches Wissen. Die weitgreifenden, vielsprachigen Zitate seiner *Astralmythen* (1896) beweisen das nicht nur, sie zeigen auch, wie diese Wissensansammlung in seiner Dichtung während seines ganzen Lebens integriert wurde, und wie persönliches Erleben mit Hilfe des magischen Stoffes Phantasie zur Einheit zusammengeschmiedet wird. Schon vor der Jahrhundertwende beschäftigt sich Stucken mythologisch mit dem Thema der jüngfräulichen Geburt und entdeckt dabei die *Legende vom Stein des Schwangerwerdens*, welche die jüngfräuliche Geburt des mexikanischen Gottes Quetzalcoatl berichtet. Diese mythologische Überlieferung verwebt Stucken ein Vierteljahrhundert später in seinen Conquista-Roman. In den *Weißen Göttern* heißt es entsprechend „Wundersam schwermütig klangen die heiligen Lieder, die von Quetzalcoatl, der Grüngefiederten Schlange, erzählten. Als noch das verschollene Volk der Tolteken das Hochtal Anahuac bewohnte, war er unter ihnen erschienen, geboren von der jungfräulichen Mutter, dem Mädchen von Tula, welche geschwängert worden war durch einen grünen Edelstein, den sie als Schmuck am Busen trug" (Bd. I, p. 10–11).

3 Jugend in Dresden

Eduard Stucken verließ also seine Geburtsstadt Moskau 1876: „Elf Jahre alt, kam ich in das Haus eines Onkels nach Dresden und besuchte das Vitzthumsche Gymnasium bis zur Obersekunda", schreibt er an einen seiner frühen, nur mit dem Nachnamen Brümmer registrierten Bewunderer (6. 5. 1905). Der erwähnte Onkel, Kommerzienrat Robert Spies, war mit einer Schwester von Stuckens Mutter verheiratet. Der Sohn Georg Spies berichtet in *Erinnerungen eines Ausland-Deutschen* (1927), wie exotisch der weitgereiste Eduard dem gutbürgerlichen Dresdener Knaben erschien, wie weltmännisch, wißbegierig und aufgeschlossen. Stuckens umfassende Kenntnisse, sein Gedankenflug, seine Erzählgabe, beeindruckten alle, die ihm jemals persönlich begegneten: „Gleichgültig, worüber man sprach; Stucken wußte Bescheid"; bemerkt Wolfgang Goetz. „Man muß schon dem eigenen bißchen Geist kräftig die Sporen geben, wenn man dem Caracho dieser universalen Seele folgen will."[1]

Georg Spies erzählt, daß sich Stucken von Anbeginn als Dichter übte. Das überrascht nicht, doch, wenn Spies von dem fidelen Verfasser einer Schülerzeitung spricht und damit Stucken meint, erstaunt man. Das Adjektiv ‚fidel‘ kommt einem im Zusammenhang mit dem schwerblütigen Stucken kaum in den Sinn. Ein angebrachteres Leitwort für ihn wäre ‚Schwermut‘, Titel eines Gedichtes aus dem *Buch der Träume* (1916).

Schwermut

Durch die Graswiese zieht
Well' auf Welle im Wind
und verebbt wie ein Lied,
das erjauchzend zerrinnt.

Wie ein Lied, das vergaß,

daß die Graberde schwer . . .
All die Blumen im Gras
sind wie Perlen im Meer.

Und ich lustwandle hier —
(bald gemäht ist das Heu!) —
und die Schwermut folgt mir
wie ein Hund getreu (p. 6).

Und doch besaß Stucken einen feinen Humor, den er leider selten durchblicken ließ: „Da Florentine ihre Zeit mit Romanlektüre und Patiencelegen hinbrachte, blieb ihr keine übrig, sich um das geistige und leibliche Wohl ihres Sohnes Axel und ihrer Nichte Siri zu kümmern. Doch legte sie sich ins Mittel, wenn wegen eines losen Streiches ihr Gatte drauf und dran war, den beiden Rangen einen Denkzettel zu verabreichen. Das vertrug sich nicht mit ihren Prinzipien: sie schwärmte für Fichte (den sie nie gelesen hatte), für Lord Byron und war für schrankenlose Freiheit" (*Lariòn*, p. 31).

Der Vetter Georg Spies und Stucken bleiben über die Jahre verbunden. Dankbar bemerkt der Dichter in einer Widmung vom 18. 2. 1925: „Meinem Freunde Georg Spies, der mehr als einmal mir und Ania ein Helfer in höchster Not war."

Von Moskau nach Dresden zog auch Stuckens Großvater Kupffer, der sich noch in fortgeschrittenem Alter erfolgreich in der Bildhauerei übte. Zwar war Stuckens Vater ein geistig aufgeschlossener Mann, der Shakespeare und David Friedrich Strauß las,[2] aber Stucken leitet von der mütterlichen Linie seine künstlerischen Neigungen ab, wie er in dem uns bekannten autobiographischen Aufsatz *Heimat und Ahnen* angibt (p. 68).

Gleich seinem Onkel Adolf Bastian wollte Stucken Gelehrter werden, und er hat sich mit seinen mehrbändigen *Astralmythen* als solcher bestätigt. Und wenn er auch nicht

Abb. 2 *Mädchengesichter von Saaleck,* Zeichnung Stuckens aus dem *Saalecker Skizzenbuch.*

Abb. 1 *Der Bienenzüchter,* Zeichnung Stuckens nach Charakterköpfen in Saaleck in Thüringen, aus *Das Saalecker Skizzenbuch,* 1922.

Bildhauer wurde wie sein Großvater, seine Zeichnungen tragen ihr eigenes Gepräge. Die Linienführung der Saalecker Porträtstudien gleicht Stuckens Handschrift, die leicht über das Papier eilt, um die fortjagenden Gedanken einzufangen, wenn auch die Virtuosität, die dem Dichter eignet, dem weniger geübten Graphiker fehlt (Abb. 1). Paul Schultze-Naumburg schreibt als Einführung für das *Saalecker Skizzenbuch* von 1922: „Die hier wiedergegebenen Blätter haben ihre kleine Geschichte. Schon als Knabe hatte Eduard Stucken gern gezeichnet, aber seine Berufung als Dichter stand ihm schon so fest, daß er nie auch nur die Versuchung fühlte, aus der bildenden Kunst einen Beruf zu machen. Es gibt noch ein Skizzenbuch von ihm, das er als junger Archäologe bei sich führte, als er Felix von Luschan auf seiner Expedition nach Sendschirli in Nordsyrien begleitete. Das ist gefüllt mit einer Reihe köstlicher Typen der Einwohnerschaft von Kleinasien, die mit sich stets steigernder Vollkommenheit dargestellt sind, so daß man den Eindruck hat, als sei hier ein Beginn, der seine Fortsetzung haben müsse." Die von Schultze-Naumburg erwähnten Zeichnungen sind mit allen übrigen Manuskripten Stuckens bei den Bombenangriffen des zweiten Weltkrieges in seiner Berliner Wohnung verbrannt.

Die jungen Frauengesichter im *Saalecker Skizzenbuch* (Abb. 2) wirken wie subtile Illustrationen zu Stuckens eigenen Dichtungen, Botticelli berufend, den Stucken in Dresden für sich entdeckte und lieben lernte. Gleich Botticelli begann Stucken als Madonnenanbeter, auch er hungerte nach Schönheit und betrauerte die Häßlichkeit der Wirklichkeit. Selbst Botticellis und Stuckens Ausdrucksweise haftet, trotz der Verschiedenheit des Mediums, etwas Verwandtes an. „Seine Komposition und seine Farbengebung sind so eindringlich im Detail empfunden, daß sie kein Ganzes erzeugen können, weil die Einheit oder die Zusammenfassung dem vorherrschenden Element, der Linie, weichen müssen",[3] könnte man von Stuckens Dichtung behaupten, obwohl die Worte Lionello Venturis auf Botticellis Malerei gemünzt sind.

1880 besuchte Stucken die Schackgalerie in München. Wie für Böcklin und Ludwig Feuerbach bedeutet Kunst für Stucken Kult der Schönheit, l'art pour l'art. Der römische Kaiser Mare Aurel spricht:

> *,Der Unsterblichen Gnadengut, –*
> *Die Kunst, – wiegt leichter als Blut;*
> *Und ist auch Kunst erhaben und hehr, –*
> *Ein Menschenleben gilt mehr!'*

24

Doch im Hinblick auf eine zerbrochene Vase des Apelles erwidert ihm die Erscheinung der Pallas Athene im gleichen Gedicht *Die Vase* aus *Die Insel Perdita* (1935):

Jahrtausende fliehn, eh ein Kunstwerk entsteht,
Das nicht mit dem Volk vergeht
Und noch nach Jahrtausenden künden kann,
Was ein Volk litt, fühlte und sann.

Geboren wird stündlich ein Kind, — es erwirbt
Ruhm oder Unruhm und stirbt;
Geboren wird nach unmeßbarer Frist
Ein Werk, das unsterblich ist.

Es ist des einzelnen Heldentum,
Daß er stirbt seinem Volk zum Ruhm;
Doch der Völker Ruhm ist: sie waren einmal —
Und Kunst ward ihr Grabdenkmal! (p. 86).

Wohl trat Eduard Stucken nicht in der Öffentlichkeit als Pianist auf, aber seine Brucknerinterpretationen beeindruckten seine Hörer in Freundeskreisen (Abb. 3). Die Sprachmusikalität ist besonders in den Versen des Gralsepos zu spüren. „Der Langvers seiner lyrischen Schauspiele, der von der Bühne mit Bezauberung klang, gab diesen Stücken ein mystisches Leben, das von der wenigen Handlung fast unabhängig war. Eine einmalige Erscheinung", schrieb Wilhelm von Scholz an die Verfasserin am 16. 4. 1960.

Chopin galt Stucken als musikalische Vollendung. In einem Brief an Felix Braun lobt er dessen Erzählung *Die Friedhofskinder*: „Sie ist in ihrer zarten Zeichnung und Stimmung etwas Vollkommenes wie ein Nocturne von Chopin (— das ja eine daherbrausende Waldsteinsonate gar nicht sein will). Meine unzeitgemäße Meinung ist, daß Chopin länger leben wird als mancher, der mit mehr Muskeln protzt" (25. 6. 1929). Chopin ist für Stucken erotische Hingabe. Chopin- und Lisztklänge durchziehen sein Werk: „Noch bevor ich an die Klingel gerührt, stutze und lausche ich, denn wundervoll wird da im Hause Liszts *Chasse neige* gespielt, die letzte mir liebste seiner *Etudes d'exécution transcendante*. . . . Rasend quirlen, hüpfen, tanzen und wirbeln die Schneeflocken und weben ein weißes Leichentuch für ein offenes Grab. Welch eine gespenstische, wilde und unsäglich schwermütige Tonphantasie, in deren chromatischem Gewoge Sturmwinde aufschreien und Trauergeister weinen!" (*Ein Blizzard*, 1935, p. 223—24).

Künstler auf jeden Fall wollte der junge Stucken werden, Maler, Musiker, vor allem jedoch Dichter. Der begabte Junge drückte sich selbstverständlich in Versen aus, vielleicht zu selbstverständlich, wie reimklingende Gelegenheitsgedichte zuweilen zeigen. Daß er 1883 einer Kusine, für die er zärtliche Gefühle hegte, als Herzensangebinde eine Odysseeausgabe überreichte, ist schon exemplarisch, und natürlich ist die Widmung in Versen verfaßt. Im folgenden Jahr schickt er seinem Großvater einen gereimten Brief.

In diese Zeit fällt seine Bekanntschaft mit dem jungen Hans Wesendonk. Stucken schreibt darüber in seinen *Personalnachrichten* für das Archiv der Akademie der Künste, Ber-

Abb. 3   Stucken am Flügel in seiner Wohnung in Berlin.

lin (Liste Stucken, Nr. 14): „Meine beiden, mit mir fast gleichaltrigen Vettern Spies und ich wurden zuweilen Sonntag nachmittags, — da mein Onkel mit Otto Wesendonk befreundet war, — zu dessen jüngstem kränklichen Sohn Hans eingeladen, um dem einsamen, von einem Hauslehrer erzogenen Knaben die ihm fehlenden Schulkameraden zu ersetzen. Das bot uns die Gelegenheit, wenn wir uns verabschiedeten, Mathilde Wesendonks Zimmer zu betreten und, an ihr vorbeidefilierend, ihr die Hand zu küssen. Sie saß jedesmal an einem vergoldeten Rokoko-Schreibtisch und ‚dichtete' (— so tuschelten wir Knaben uns zu)."

1880 siedelte Stuckens Vater, nachdem er — und mit ihm sein Sohn — Reichsdeutsche geworden waren, ebenfalls nach Dresden über, und zwar in die Villa Wesendonk, die Stuckens Vater erwarb, als die früheren Besitzer nach Berlin zogen. Stuckens Wagnerbegeisterung entstand aber nicht aus der Begegnung mit den Wesendonks. Sie war eher ein Zeitphänomen. „Erst sehr viel später lernte ich Wagners Noten lieben und seine Worte — nicht lieben", heißt es in den *Personalnachrichten*. Der sichere Kunstverstand, mit dem Stucken Wagners Stabreimerei ablehnt, bewahrt ihn nicht vor eigenen Form- und Sprachentgleisungen.

Dresden war Stuckens erster deutscher Aufenthalt. Es sollte auch seine letzte Ruhestätte werden. Nach seinem Tod 1936 in Berlin wurde er in die Dresdener Familiengruft überführt. Doch diese irdische Ruhe währte nicht lange. Das Erbbegräbnis der Stuckens wurde — wie Stuckens gesamter Besitz — durch Bomben völlig zerstört. Dies klingt wie eine Bestätigung seiner Untergangsphilosophie des Fin-de-Siècle: „Wir sind wie die Schneeflocken: wir schweben und tanzen wohl ein kurzes Weilchen und sinken nieder und werden von achtlosen, respektlosen Stiefelsohlen zu Straßendreck zertrampelt. Nichts bleibt von unserer kristallenen Schönheit, nichts, nichts — nicht einmal ein Erinnern in den Seelchen der andern Schneeflocken, die ja bald ebenso Dreck werden wie wir" (*Ein Blizzard*, p. 262—63).

4 Im Kontor in Bremen, Abitur in Dresden

Auf Anordnung des Vaters verließ der junge Eduard 1882 Dresden und die Schule nach der mittleren Reife; denn „als Ältester von neun Geschwistern war ich ausersehn, die große väterliche Firma zu leiten", schreibt Stucken in seinem Lebenslauf der im vorherigen Kapitel erwähnten *Personalnachrichten*. Eine weitere akademische Ausbildung wurde für einen hanseatischen Kaufmannssohn nicht für nötig befunden. Und ferner berichtet Stucken: „Ein Reis- und Petroleumgeschäft großen Stils war die Firma F. Sparkuhle, wo ich zweieinhalb Jahre lang die kaufmännische Lehre durchmachte. Oft, wenn etwa dreihundert Telegramme zugleich abgesandt wurden oder für einen bestimmten Dampfer bis zu einer bestimmten Stunde die Überseepost fertiggestellt werden mußte, war die Hast und Hetze unbeschreiblich. Um sich Arbeitskräfte zu sparen, pflegten damals die Bremer Kaufherren ihre Lehrlinge hart anzuspannen. Von halb neun Uhr morgens bis (im Winter) elf Uhr abends war man im Dienst. Jetzt nachträglich bedaure ich nicht, in diesem Wirbel gestanden zu haben. Ich habe stupende Arbeitsleistungen mit angesehen – und habe selber zu arbeiten gelernt."

Der gleichzeitig großzügige und strenge kaufmännische Geist der Hanseatenstadt beeindruckte Stucken ähnlich, wie Thomas Mann dies in den *Buddenbrooks* oder in *Tonio Kröger* zum Ausdruck bringt. „Als Bremer Kind aufgewachsen, war mir, Senator zu werden, einst als das höchste Lebensziel erschienen, – ein Senator wie Gildemeister, der den Ariost so einzig schön übersetzte. Halbgötter waren für mich Zehnjährigen damals die Senatoren gewesen – allen voran der hagere steifleinene Barkhausen, den ich das Glück gehabt hatte, einmal in seiner mittelalterlichen Amtstracht zu erblicken, mit der mühlsteinähnlichen gestärkten Krause um den Hals (was ihm das Aussehen eines den Terzky darstellenden Hofschauspielers verlieh)" (*Ein Blizzard*, p. 107).

Wie der achtzehnjährige Kommis Leonhard Erzdorff in der Bergengrünschen Teefirma in Mitau in *Lariòn*, so träumte dennoch auch Stucken von einer Künstlerkarriere: „Leonhard hatte eigentlich Künstler werden wollen, war aber durch widrige Verhältnisse gezwungen worden, seinen Broterwerb als Kaufmann in Rußland zu suchen" (p. 42). Selbst der Name Erzdorff weckt Gedankenassoziationen zu dem Namen von Stuckens Mutter: Kupffer, der von Leonhard zu Eduard. Bei der Lektüre von *Lariòn* braucht man nur „Bildhauer" – der uns wiederum an Stuckens Großvater Kupffer erinnert – mit „Dichter" auszutauschen, so gleicht die Situation des jungen Kontoristen Eduard Stucken in Bremen der seines Protagonisten aus dem Rußlandroman: „Leonhard wollte und sollte eigentlich Bildhauer werden. Seine künstlerische Begabung ließ sich nicht anzweifeln; sie hatte sich früh trotz der bürgerlichen Enge des Elternhauses ans Licht gedrängt, wie eine Pflanze im Keller das Fenster sucht. Von einem Kupferstecher aus dem Kreise der bourbonischen Refugiés waren Leonhards Zeichnungen und Entwürfe gelobt

worden; eine Laufbahn gleich der Thorwaldsens und Canovas hatte ihm der begeisterte Franzose prophezeit, auch den Vater, den Notar Christian Julius Erzdorff, hatte er umgestimmt" (p. 228).

Der Bildungsdrang des jungen Kommis Stucken war außerordentlich. „Trotzdem der junge Stucken in Bremen von acht Uhr morgens bis zehn Uhr abends beschäftigt war, fand er doch noch Zeit, Verse zu schreiben, Zola und Dostojewski zu lesen und sich an Byron und Grabbe zu begeistern, wozu er die halben Nächte in Anspruch nahm. Er verschlang Schopenhauer. Und als er bei einer befreundeten Familie Frau Lorenz, die Schwiegermutter Eduard von Hartmanns, kennenlernte, da geriet er in den Bann der *Philosophie des Unbewußten*.

Im Herbst 1884 übersandte er eine längere epische Dichtung Heinrich Bulthaupt, dem Haupt der schriftstellernden Kreise Bremens. Dieser las die Dichtung in der ‚Bremer Literarischen Gesellschaft' vor und schrieb ihm einen so überschwenglichen Brief, daß sein Vater, dem der beglückte Dichter Bulthaupts Schreiben zusandte, ihm telegraphisch die Erlaubnis erteilte, das Kontor zu verlassen und sich ganz dem dichterischen Berufe zu widmen."[1]

Diesen Worten von Arthur Drews fügt Stucken eigene Lebenserinnerungen bei. „Einmal, bei einem Diner, zitierte ich schüchtern einen Satz Schopenhauers. Der Pfarrer Robert Schramm – der Verfasser eines vergessenen, doch damals Aufsehen erregenden Buches *Briefe moderner Dunkelmänner* – zog mich nach Tisch ins Gespräch und fragte, wo ich jenen Satz her hätte. Nachdem ich ihm gestanden, daß ich alle Nächte bis in die Morgenstunden Schopenhauer las und Verse schrieb, bestellte er mich in seine Wohnung und ließ sich meine Dichtungen bringen. Als er sie mir zurückgab, äußerte er: ‚Sie werden nicht ein Dichter sondern der Dichter werden!' War der Ausspruch ironisch gemeint? Vielleicht. Der Mann war ein Satiriker, und der Komik einer solchen Prophezeiung auf Grund pueriler Gedichte war er sich gewiß bewußt. Immerhin bedeutete sein Lob für mich den ersten Erfolg und bestärkte mich in der Absicht, mein Ziel nicht aus dem Auge zu lassen", zitiert nach den *Personalnachrichten*. Die intensive Vorstellungskraft Schopenhauers, der dynamisch-metaphysische Realismus von Hartmanns und die Hyperbolik in Handlung und Sprache Grabbes finden sich im Stuckenschen Werk.

Bei dem Erstling Stuckens, aus dem Heinrich Bulthaupt der Bremer Literarischen Gesellschaft vortrug, handelt es sich um ein nie veröffentlichtes Epos im Stil und Versmaß von Byrons *Giaur* oder *Bride of Abydos* mit dem Titel *Die Vestalin*. Aus dem Brief Bulthaupts an Stucken sei der folgende Abschnitt angeführt: „Allgemein war die Ansicht, daß dieser Begabung eine glänzende Laufbahn beschieden sein müsse – und so rate ich denn, was ich sofort tat, Ihnen nochmals dringend an: Machen Sie kurzen Prozeß, verlassen Sie das Kontor, studieren Sie, damit Sie mehr als jetzt ‚in dem sind, was Ihres Vaters ist'" (Bremen, 8. Oktober 1884). Der Vater Stuckens zeigte das gleiche Verständnis wie Leonhard Erzdorffs Vater in *Lariòn*. Er erlaubte seinem Sohn, die kaufmännische Laufbahn abzubrechen und seine Studien wiederaufzunehmen.

Eduard Stucken kehrte 1884 nach Dresden zurück, wo zu jener Zeit bereits seine Eltern wohnhaft waren. Durch Privatstudien vorbereitet, legte er 1886, im Todesjahr seines Va-

ters, sein Abitur an demselben Gymnasium ab, das er vor seinem Abgang nach Bremen besucht hatte.

Anschließend rückte er als Freiwilliger in das Feldartillerieregiment Nr. 12 ein. Wegen eines Herzfehlers wurde er bald aus dem Militärdienst entlassen, so daß er 1887 als Student die Universität Berlin beziehen konnte.

5 Studienjahre in Berlin

Der Studiosus Stucken stürzte sich nicht sofort auf die Germanistik, wie man dies von dem angehenden Dichter Stucken hätte erwarten können. Er mußte sich seiner Natur zufolge zeitlupenartig entfalten. In *Heimat und Ahnen* beginnt er seine Autobiographie: ,,Ich stamme in gerader Linie von einer Amöbe ab. In gerader Linie — das eben ist das Unfaßliche" (p. 65). Die biologische Weltsicht teilt Stucken als Repräsentant seiner Epoche mit solch divergierenden Anhängern der Evolutionstheorie wie Erwin Guido Kolbenheyer oder Gottfried Benn.

Stuckens Weltbild wurzelt in den Urtiefen von Goethes Müttern. Verwandt dem Goethe-Gedicht *Rückerinnerung* ist die Weltschau in

> *Nofretete*
>
> *O wunderschönes Menschenhaupt,*
> *Du stiegst herauf aus Grabesnacht*
> *Vom Schutt der Vorzeit überstaubt, —*
> *Und doch in junger Farbenpracht*
> *Bist du erwacht!*
>
> *Warum erscheint mir dein Gesicht*
> *Vertraut, anheimelnd, blutfremd kaum?*
> *Dreitausend Jahre konnten nicht*
> *Fortwischen deiner Wangen Flaum,*
> *Du schöner Traum!*
>
> *Blick ich dich an, ist mir's, als sei*
> *Um uns geknüpft ein Zauberband*
> *Seit grauer Urzeit — wo wir zwei*
> *Vereblicht oder blutsverwandt*
> *Uns gut gekannt.*
>
> *(Die Insel Perdita, 1935, p. 80.)*

Dem Ewig-Weiblichen fühlt sich Stucken verbunden. Beim Tod seiner ersten Frau schreibt er an Oskar Loerke: ,,Doch was wißt Ihr alle von ihr! Sie war meine Schwester, meine Mutter, meine Freundin, mein Weib. Von ihrer kindlich rührenden Gütigkeit weiß ja doch nur ich" (28. August 1924).

Der Evolutionsgedanke war ihm von Bastian her vertraut, und es schien ihm natürlich, Geologie, Meteorologie, Botanik, Ethnographie, Anatomie und am Rande auch Literaturgeschichte zu studieren, ,,nur um sich zu bilden, indem er dabei einem Rate Hartmanns folgte, der seinen Dichtungen die Reife absprach und ihm empfahl, sich zunächst ein tüchtiges Wissen auf den verschiedensten Gebieten anzueignen."[1] Wir sahen, daß Stucken auf den Philosophen Eduard von Hartmann in Bremen gestoßen war, und so wurde er in Berlin in den Kreis der Lehre des Unbewußten gezogen. Der soeben zitierte Karlsruher Germanist Arthur Drews berichtet darüber: ,,Bei Eduard von Hartmann lernten wir uns kennen. Es war im Winter 1889 an einem jener unvergeßlichen Abende, an welchen der Philosoph junge Leute der verschiedensten Berufsart bei sich zu versammeln pflegte, um sich mit ihnen in anregendem Gespräche zu ergehen, schwebende Fragen mit ihnen durchzusprechen und dadurch den Verkehr mit der Außenwelt, der ihm selbst als unmittelbarer infolge seines leidenden Zustandes versagt war, in mittelbarer Weise aufrecht zu erhalten. Wir waren beide fast vom selben Alter, er, der angehende Dichter, und ich, der Student der Philosophie und Literatur, und müssen uns wohl sogleich verstanden haben. Denn wenige Tage später empfing ich seinen Besuch in meiner ,Studentenbude'. Er brachte Hartmanns *Philosophie des Schönen* mit, und ich erinnere mich, daß wir uns angelegentlichst über das Tragikomische unterhielten, das von Hartmann für den höchsten Gipfel des Schönen erklärt war. Kurze Zeit darauf kam er abermals zu mir, um mir das Manuskript einer soeben beendigten Tragikomödie vorzulesen, in welchem die Sage von Wieland dem Schmied mit dem Märchen von der Gänsemagd und Falada zu einem seltsamen Ganzen verquickt war."[2]

Stucken selber bemerkt zu dem Wielanddrama in seinem ,,Lebenslauf": ,,Die dichterische Aufgabe, die ich mir damals stellte, ging über meine Kraft: Ich schrieb an einem Drama *Wieland der Schmied*. Ohne Menschenkenntnis und ohne Bühnenkenntnis traute ich mir zu, die Bühne erobern zu können — und scheiterte. *Der Herzog von Gotland* und *König Lear* erwiesen sich als gefährliche Vorbilder. Mein allzu genial (und viel zu polyphon) konzipiertes Schmerzenskind wuchs zum Monstrum heran. Und als ich das Werk abgeschlossen hatte, im Sommer 1889, schmetterte mich das Urteil eines Theaterdirektors (Max Grube) nieder: Keine Bühne der Welt werde mein Drama spielen können."

Abb. 1   Friedrichstraße, Unter den Linden in Berlin (Kranzlereck). Photo: Hans Hartz aus *Unvergessenes Berlin*. Haude & Spener 1964.

Obwohl sich einige von Stuckens Gralsdramen sogar in der vom Dichter selber gewählten Genre-Bezeichnung zum christlichen Mysterienspiel bekennen, schreibt er noch 1932, das Drama habe nur einen Ursprung: „Gleich der Tragödie leitet auch die Komödie sich vom Dionysoskult her. Darum ist eine gute Komödie nicht weniger tragisch als eine Tragödie."[3] Stucken übertrug die Hartmannsche Idee der Tragikomödie als des sublimiertesten Ausdrucks der Kunst neben seinem frühen Wielandstück vor allem auf *Die Gesellschaft des Abbé Châteauneuf* von 1909. „Hier fügt sich das Perverse des Gegenstandes, die Verliebtheit des jungen Chevalier Villiers in seine eigene Mutter, die berüchtigte Ninon de Lenclos, durchaus in die gegebenen Verhältnisse ein, und das Komische der Lage des jungen Mannes geht mit dem Tragischen seines Zustandes zu einem so eigenartigen Ganzen zusammen, daß der Dichter sein Werk mit Recht als ‚Tragiko-

mödie' im Sinne Hartmanns bezeichnen durfte. Unverkennbar ist auch der Fortschritt in der Zeichnung der verschiedenartigen Charaktere bei der Gesellschaft des Abbé. Wie hier jeder einzelne durch kurze, schlagende Redewendungen in seiner Eigenart hingestellt ist, wie der Dialog des kleinen Einakters von Witz und Einfällen im Geiste des geschilderten Zeitalters sprüht und funkelt und bei aller Lächerlichkeit der Verhältnisse der tragische Unterton festgehalten wird und durchschimmert — ich denke dabei vor allem an die prachtvolle Figur des gelähmten Dichters Scarron und dessen komische Eifersucht auf seine so unschuldig sich gebende ungetreue junge Gattin — das ist schlechthin meisterhaft und läßt die Verwunderung darüber entstehen, daß dieses Werk übersprudelnder Laune und eines grimmigen Humors solange auf eine Aufführung hat warten müssen."[4]

Auch die von Stucken nondeskript als ‚Drama' bezeich-

28

nete *Hochzeit Adrian Brouwers* von 1914 ist eine Tragikomödie. Einen Höhepunkt in eben diesem Werk bildet im fünften Bild eine Szene im Anatomiesaal. Hier satirisiert Stucken ähnlich wie Goethe in der Schülerszene in *Faust* seine studentischen Erfahrungen. Der Anatom Barent Vostermans wendet sich an seine Hörer: „Amplissimi auditores! Schon die alten Ägypter haben die Zergliederungs- oder Sezierkunst geübt. Und Oekolampadius, dieser Phönix der Ärzte, sagt: Der Bau des menschlichen Körpers muß nach seinem Verhalten im toten Zustande studiert werden. Dies geschieht an Präparaten in Alkohol − besser aber geschieht es an frischen Leichen. In unserem Europa ist es nun leider denen, die sich in anatomicis üben, selten vergönnt, einen frischen jungen Leib zu zerlegen; − uns stehen fast ausschließlich dekrepite Greisenleichen mit verschrumpften Organen zur Verfügung. Es ist daher ein ganz besonderer Glücksfall, daß heute (mit einer Handbewegung nach der Tür links) auf dem Tische dort eine jugendliche Weibsperson liegt" (p. 103). Daß es sich hier um die Leiche der Selbstmörderin Diane handelt, die von ihrem zartfühlenden Ehemann für Geld an die Anatomie verkauft wurde, sei nur nebenbei vermerkt. Und ebenso sprechend, zeigt Stucken seinen Abscheu vor einer Wissenschaft, die im Menschen nichts als ein Forschungsobjekt erblickt, in dem Kurzgedicht

Der Anatom
Und er erklärte nebenbei,
Daß es ein großer Glücksfall sei,
Wenn eine Leiche eine junge
Person sei, dran man demonstriere,
Weil meistens guterhalten ihre
Organe seien, Herz und Lunge,
Im ganzen gar nicht zu vergleichen
Mit den Organen älterer Leichen. . .
(Die Insel Perdita, p. 27)

1888 nahm Stucken an dem Congrès International des Américanistes in Berlin teil. Möglicherweise begann er sich von da an für die Kulturgeschichte der westlichen Hemisphäre zu interessieren. Aber es ist noch ein weiter Weg zu den *Weißen Göttern*. Seine theoretischen astronomischen Studien unterstützt 1889/90 ein Praktikum in Sternkunde für astronomische Ortsbestimmungen an der Seewarte Hamburg. Ob ihm da der Gedanke zuerst kam, daß die Menschheit aus den Gestirnen ihre Urschrift entwickelte, wie er dies in einem Beitrag von 1913 *Der Ursprung des Alphabets und die Mondstationen* darlegt?

Viele ausgedehnte Reisen unternahm Stucken; Berlin, der Ort seiner Studienzeit, blieb sein Standort für sein weiteres Leben, das er sogar in der gleichen Wohnung verbrachte, die er bei seiner ersten Eheschließung 1898 bezog, in der Burggrafenstraße 2a. „Wenn man um 1920 ein Gesellschaftsspiel arrangiert hätte mit der Aufgabe, die zehn charakteristischsten Köpfe Berlins aufzuzählen, so wäre unter allen Umständen Eduard Stucken zu nennen gewesen. Dieser Mann hatte einen ganz unvergeßlichen Kopf: zwei große Augen beherrschten dieses Antlitz, das bei aller Weichheit der Züge ungemein männlich war. Freilich wäre er in diesem Fragebogen kaum erwähnt worden, denn er lebte sehr zurückgezogen in der Burggrafenstraße, die nach ihm hätte benannt sein können: dieser Nachfahre eines wohlbegüterten Bremer Hauses . . . sah aus wie ein Graf und saß in einer Bücherburg, die fast mehr der Bibliothek eines Gelehrten glich als der eines Dichters."[5]

Es scheint wirklich, als hätte sich Stucken eine Tarnkappe übergestülpt, damit man ihn nicht erkannte, sollte man ihm je einmal auf der Straße begegnen. Eduard Plietzsch berichtet von seinem ‚Nachbarn' Eduard Stucken: „Durch den überall beliebten Martin Müller, dessen Bildhaueratelier sich damals in der Nachbarschaft von Kolbe und Scheibe in der von-der-Heydt-Straße befand, bin ich Eduard Stucken vorgestellt worden. Unser Gespräch verlief so eindrucksvoll und anregend, es war menschlich so wohltuend, daß ich ehrlich bedaure, den Dichter nie wieder gesehen zu haben. Sonderbarerweise sind wir uns auch kein einziges Mal auf der Straße begegnet. Und dabei wohnte Stucken in meiner Nähe, in der Burggrafenstraße."[6]

Nach dem Tode von Frau Ania lebte Stucken allein in seiner Bücherburg, bis er Anna Schmiegelow dorthin heimführte. Er bedurfte dieses Refugiums, und Anna und auf ihre Bitten selbst der Hauswirt, trugen Sorge, daß es auch in den magersten Jahren erhalten blieb. 1936, wenige Tage vor seinem 71. Geburtstag, starb Stucken in diesen Räumen, und wie seine letzte Ruhestätte in Dresden, fiel auch dieses Haus dem Bombenterror zum Opfer.

6 Expedition Sendschirli

Stuckens Hauptinteresse während seines Berliner Studiums galt der Ethnologie und der Orientalistik. Aus diesem Grunde setzte er sich 1889 mit dem ehemaligen Assistenten seines Onkels Bastian in Verbindung, mit Felix von Luschan (1854–1924), der 1883–1902 archäologische Ausgrabungen in der Türkei leitete. Stucken wollte sich an einer dieser Expeditionen in Sendschirli in Nordsyrien beteiligen. Mit dem späteren Geheimrat und Direktor des Völkerkundemuseums Ritter von Luschan debattierte Stucken noch nach Jahren über anthropologische Fragen. Am 31. 12. 1912 schreibt er an von Luschan: „Lieber Freund, Ich habe Ihnen für die freundliche Übersendung der Hamitischen Typen herzlichen Dank zu sagen. Mit Freude habe ich Ihre Schrift gelesen, — ja, ich staune, mit wie großer Freude. In unteren Schichten ist noch vieles Anthropologe in mir. Gern gedenke ich der Zeit, da ich Ihr Schüler war. Eine Frage, die gewiß schon gestellt worden ist, möchte ich stellen: woher kommt der Name Hima? "

Obwohl Stucken wiederholt behauptete, daß er sich nur zwei Jahre seines Lebens aus Enttäuschung über Nichtanerkennung seiner Dichtung der Wissenschaft zuwandte — so etwa in *Heimat und Ahnen* — sind offenbar bei Stucken Forschung und Literatur eine lebenslange Symbiose eingegangen. „Haben Sie auch Dank dafür, daß Sie meine Forschungen erwähnen. Ich war mehr als überrascht, als ich da meinen Namen fand. Denn schon fast vergessen habe ich, daß ich einstmals (halb und halb wenigstens) ein Gelehrtendasein geführt. Alles das ist in tiefere Schichten meines Ichs hinabgesunken. Und rufe ich es wieder an die Oberfläche

herauf, so habe ich ein Gefühl wie von Seelenwanderung . . . als wäre ich damals ein anderer, mir jetzt ganz wesensfremder Mensch gewesen", schreibt Stucken an von Luschan am 29. 2. 1917; doch wenige Wochen darauf stellt er in seinen Briefen Hypothesen auf, die weitgehende Kenntnisse und waches Interesse auf vielen Gebieten bezeugen. Er diskutiert gesellschaftliche Statussymbole in den Königreichen Manicongo und Benin in Westafrika (2. 4. 1917 und 22. 4. 1917); man wendet sich um Auskunft an Stucken in Fragen über slawische Mythologie (6. 3. 1918). Noch 1935 spekuliert Stucken über neue Lösungen für algebraische Gleichungen: „Vor mehr als 30 Jahren kam mir der Gedanke, ein Gebilde der vierten Dimension müsse aus fünf Körpern bestehen", schreibt er am 19. 1. 1935 an Egmont Colerus.

Als die Gruppe von Luschans mit Robert Koldewey, dem Ausgräber Babylons, im November 1889 zur Expedition nach Kleinasien aufbrach, mußte Stucken zurückbleiben, schwer an Typhus erkrankt.

Ich lag im Fieber auf dem Krankenbette,
Mein hämmernd Hirn durchtobten Phantasien,
von tollen Bildern eine lange Kette.

Den einen Traum vergess ich nicht. Mir schien,
es stünd ein fremdes Wesen mir zu Häupten, —
das war der Tod. Und ich erkannte ihn (p. 20).

Dies ist der Beginn eines von Fidus illustrierten Terzinengedichtes, das in der ersten Ausgabe von Stuckens *Balladen* (1898) *Die barmherzige Schwester* heißt; denn der Kranke erblickt in seinem Fiebertraum an seinem Bett neben dem Sensenschwinger eine Krankenschwester (s. Abb. 1), die ihm als Schutzgeist des Lebens die Beute abringt. In *Wundmale* ändert der Dichter in seiner späteren Ausgabe den Titel, um den Quell anzudeuten, aus dem die Pflegerin ihre Kräfte schöpft. Schweres Leid hat sie zur Entsagung geführt, und in der Nachfolge Christi opfert sie sich für ihre Mitmenschen.

Seit ich an mir erfuhr, wie Wunden quälen,
hab ich Verständnis für der andern Weh!
Mir ward kein Trost, — drum tröst ich andre Seelen!
Du weißt, mit Heil begabt ist meine Näh!
Der Himmel hört auf jede meiner Bitten.
Hier bist du machtlos, Tod! Ich sag dir: Geh!

Denn er ist mein! Ich hab ihn mir erstritten,
als ich das Kreuz der Menschheit nahm auf mich
und das Martyrium für ihn gelitten (p. 22).

Im März 1890 konnte Stucken der Expedition folgen. In *Mein Lebenslauf* gibt Stucken eine Reisebeschreibung, die vollkommen der Route entspricht, die er seinen Giuliano in dem gleichnamigen Roman von 1933 machen läßt: „Über Triest, Patras, Piräus gelangte ich nach Smyrna, von dort aus besuchte ich Ephesus, Pergamon und Magnesia und klomm

Abb. 1 *Barmherzige Schwester (Wundmale)*, Zeichnung von Fidus zur gleichnamigen Ballade.

Abb. 2   Aufnahme der Expeditionsteilnehmer in Sendschirli, Anatolien, 1890. Stucken auf dem Karren sitzend, mit Tropenhelm. Robert Koldewey, der Ausgräber von Babylon, 1. von links, stehend.

(ein halsbrecherisches Wagnis) den oberhalb des Felsenbildes der ,Niobe' äußerst steilen Sypilos hinauf bis zum ,Thron des Tantalos'. Diesen hatten vor mir nur zwei Europäer — ein Engländer und Humann — erklommen. Von Smyrna brachte mich ein Dampfer nach Skenderun (Alexandrette), wo mich der Postreiter unserer Expedition erwartete. Nach dreitägigem Ritt durch die langgestreckte Ebene zwischen dem Giour-Dagh und dem Kurd-Dagh erreichte ich unsern Ausgrabungshügel. "[1]

Das Kurdendorf Sendschirli-Schamâl (s. Abb. 2), war ehemals die ummauerte Feste eines Gaufürsten. Hier wurden Lavaskulpturen ausgegraben, die denen der Dynastenburgen Altsyriens, Palästinas und Nordmesopotamiens gleichen — und ganz im Sinne Stuckens — weite kulturhistorische Zusammenhänge erahnen lassen. Über den „begeisterten und opferfreudigen"[2] Volontär Stucken in Sendschirli berichtet Walter Andrae in seinen Erinnerungen an den Babylon-Ausgräber Koldewey: „Von dem Dichter, dessen Dramen später in Deutschland Bedeutung erlangt haben, kursierten köstliche kleine Anekdoten, z. B. wie er zum Besuch eines befreundeten Häuptlings im 'Amk' über Nacht ausgeritten war,

dort duftende Veilchen fand, die er beim Rückritt nicht aus der Hand legte und dann nur noch den kleinen Finger der zügelführenden Linken übrig hatte, um den bei seinen Wirten zurückgelassenen einen Pantoffel anzuhängen, den die Guten ihm im Laufschritt nachgebracht. So — Veilchen rechts, Pantoffel links — kam er nach mehreren Stunden Ritt ins Lager auf Sendschirli.

In lyrischen Versen besang er die Schönheit des Kurdenmädchens Gamr, was ,Vollmond' heißt und dem Gesichtchen des Kindes gut entsprach. Nur mit der Sauberkeit desselben vertrug sich der Glanz der Vollmondscheibe schlecht. So schenkte ihr der Dichter zuerst ein Stück Seife und wandelte dann den Namen in Gamér, was besser ins Versmaß paßte.

Da überdies das wirkliche Sternenzelt, astronomisch, astrologisch und astralmythologisch sein Interesse hatte, knüpfte man gern abendliche Gespräche über die ihm gut bekannte ferne Welt an, bis ihn die völlig überraschende Frage bestürzte: ,Wie heißen doch die beiden Sterne, die gleichweit voneinander abstehn?' "[3]

31

Abb. 3 *Das Weib des Intaphernes*, Zeichnung Fidus zur Ballade.

Der veilchengeschmückte Romantiker zu Roß, der Realist bei der Poesie: damit die Metapher des schimmernden Vollmonds ‚stimmt‘, muß das rotznäsige Kindergesichtchen zuerst hygienisch gereinigt werden. ‚Kamér‘ ist auch der Name der Heldin der geographisch und historisch mit der Expedition verbundenen Verserzählung *Blutrache* (1892).

> Und am
> Gezackten, kahlen kalksteingelben Kamm
> Des Libanon webt sich ein bunter Duft
> Aus blauer, roter, violetter Luft (p. 9).

Und im Wüstenklima der alten Kulturen erblüht wie in Lessings *Nathan* und in Hauffs *Karawane* bei Stucken die Toleranzidee. Ibn Raschid überwindet in den Ruinen von Baalbeck die Rachegelüste der Vendetta. Koldewey war begeistert. Er schrieb am 15. 3. 1899 an von Luschan: „Ich habe hier meinen Freunden von den herrlichen Gedichten Stuckens erzählt und namentlich von dem erschütternden, das den Ibn Raschid behandelt. Wir brennen vor Begierde, die monumentalen Strophen hier, wo Raschids Land so nahe ist, zu lesen und ich bitte Dich gar sehr, mir das Bändchen am besten im Brief eingeschrieben herzuschicken ... nach ein paar Tagen werden wir nach Babylon aufbrechen.“

Sendschirli steht für Stucken als Ausdruck der Sehnsucht in Zeitentiefe und Weite. „Ich ... unternahm auch von Sendschirli aus mehrere selbständige Reisen, nach Antiochia und über den Taurus“, berichtet er am 6. 5. 1905 an Brümmer.

Seine vorderasiatischen Forschungsergebnisse fanden ihren Niederschlag in den *Beiträgen zur orientalischen Mythologie* (1902), worin Stucken die Verbreitung einzelner Sagenmotive über die Erde verfolgt. Nach seiner Überzeugung nahmen alle Mythen ihren Ausgang von einem einzigen Urvolk der Menschheit, das sich über die gesamte Erde hin zerstreute, nachdem es durch katastrophale Naturereignisse aus seiner Urheimat vertrieben worden war. Die Gedankengänge des dritten Teils der *Beiträge* „Ruben im Jakobssegen“ korrespondieren mit denen von Stuckens *Astralmythen*, ebenso wie der erste Teil „Ištars Höllenfahrt und die Genesis“, der stofflich wiederum an Stuckens erste, in Stimmung und Sprache intensivierte Balladen erinnert, wie *Die Höllenfahrt der Ischtar*, illustriert von Fidus oder *Das Weib des Intaphernes* (s. Abb. 3). Die liebende Frau erklettert zur Nachtzeit das Schloß des persischen Königs Darius, um ihn um Gnade für ihren gefangenen Mann Intaphernes und für ihren Vater, Bruder und Sohn zu bitten. Darius führt sie in den Kerker: einen ihrer Lieben darf sie auswählen dafür, daß sie dem König ihre Gunst schenkte. Der geschichtlichen Überlieferung zufolge wählte sie ihren Bruder. Bei Stucken wirft sie eine brennende Lampe ins Stroh, so daß alle umkommen, Gefangene, Frau und König: „Brennend, König, ist mein Liebeslohn.“

Empfindungsmäßig mahnen die Balladen eher an die Hexenszenen aus *Macbeth* als an die stilisierten Überlieferungen assyrischer Tontafeln: „Bereits im Jahre 1898 erschien eine Sammlung Balladen ..., hier ... erwachen die blutrünstigen gespenstischen Gestalten altschottischer Balladendichtung und treiben in Dämmergrau auf öder Heide einen tollen Geisterspuk.“[4] Es ist symptomatisch, daß Stucken auf dem Libanon die nordische Hexenballade *Frau Trude* schuf (s. Abb. 4). Wehendes Langhaar der Teufelsweiber, die schlängelnden Reiser ihrer Besen, die ihnen als Reittier dienen, und die zuckende Linienführung des Rahmens der Fiduszeichnung verweisen auf die Bedeutung der Flamme für das Gedicht und unterstreichen die poetische Einheit. Acht kurze Strophen, fast alle in kurzer Wechselrede, bestehen jeweils aus einem einzigen Reimpaar und werden, retardierend und zugleich verdichtend, durch das sechsfach wiederholte Bild eines brennenden Holzscheites spannungssteigernd unterbrochen. Wild tanzen die Flammen im hüpfenden, kurzatmigen Rhythmus des Gedichtes. Erst als Schlußpunkt enthüllt der Maler Fidus den Dämon des Gedichtes, Frau Trude selber. In ihrer Vampyrfratze spiegelt sich der Widerschein der Flammen, die — genährt vom Haß langer Jahre — das Lebensscheit des Kindes verzehren.

Stark läßt Stucken äußere Eindrücke auf sich wirken, sie fließen jedoch immer mittelbar in sein dichterisches Werk, nachdem er sie zuvor auf dem Weg der Reflexion als geistiges Eigentum assimiliert hat, und so kann er in Anatolien das Erlebnis seiner Kindheit, die germanische Mythologie hervorholen und im Gedicht gestalten, und auf die gleiche Weise erwachsen seine in Berlin geschaffenen Dichtungen *Blutra-*

6.

Frau Trude.

„Grüß Gott, Frau Trude, was macht Ihr?
Was schürt Ihr das Feuer und lacht Ihr?"

„Im Feuer brennt Deines Vaters Scheit,
Weil er mich geküßt hat vor langer Zeit.

Auch der Deiner Mutter, denn sie nahm
Mir den versprochnen Bräutigam.

Auch Dein Holzscheit verbrennt im Nu,
Denn Deiner Eltern Freude bist Du!"

„O nehmt den Scheit meines Vaters fort!"
Frau Trude lacht und thut es sofort.

„O nehmt auch den Scheit meiner Mutter heraus!"
Frau Trude lacht mehr und führt es aus.

„Ach, gute Frau Trude, rettet mich auch!"
Frau Trude hält sich vor Lachen den Bauch.

„Zwei ließ ich am Leben, damit sie Dich
Beweinen sollen bitterlich!"

Brumana auf dem Libanon, den 10. August 1890.

Abb. 4   *Frau Trude*, Rahmenzeichnung von Fidus, mit Text der Ballade.

che und die Balladen aus der Erfahrung Sendschirli, vor allem aber neben den *Beiträgen zur orientalischen Mythologie* sein bedeutendstes wissenschaftliches Werk, die *Astralmythen*.

7 Astralmythologie

Bei Stuckens Rückkehr aus Kleinasien „nach Berlin fand er hier den französisch-russischen Naturalismus von einem deutschen Naturalismus abgelöst. Da er selbst keine Neigung zu dieser Richtung empfand, fühlte er sich als Dichter bald sehr vereinsamt. Das trieb ihn der Wissenschaft in die Arme. Er lernte Hebräisch, Assyrisch, Babylonisch, Arabisch, Syrisch, Aethiopisch, Altägyptisch und Koptisch und schrieb sein großes Werk über *Astralmythen*, das in den Jahren 1890–97 erschien und worin er, als der Erste nach Dupuis es wieder unternahm, die Mythen durch den Sternhimmel auszudeuten, und Motivgleichungen der verschiedenen Mythen und Sagen anstellte. Die amtsförmliche Wissenschaft wußte mit dem neuartigen Gegenstand nichts anzufangen und wei-

gerte sich, ihm daraufhin den Doktortitel zu erteilen. So verzichtete er auf diesen überhaupt und widmete sich wieder ganz der Dichtung, um höchstens in Zeiten der Mutlosigkeit noch öfter zur Wissenschaft zurückzukehren."[1]

Nicht nur die hier von Arthur Drews angegebenen Daten der Veröffentlichung der einzelnen Bücher der *Astralmythen* sind ungenau. Die jeweiligen Bände erschienen:

1896 *Abraham*,	1901 *Esau*,
1897 *Lot*,	1907 *Mose*
1899 *Jakob*,	(Abb. 1).

Wie ich bereits im Sendschirli-Kapitel betonte, bleiben wissenschaftliche Interessen in Stucken sein Leben hindurch wach. Drews selber zitiert die Worte Stuckens aus einem persönlichen Gespräch: „Ich bin nicht ein dichtender Gelehrter. Vielmehr bin ich ein Schriftsteller, der sich zeitweise

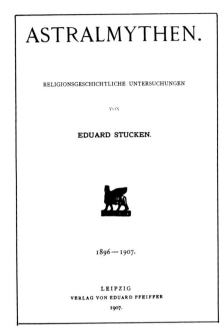

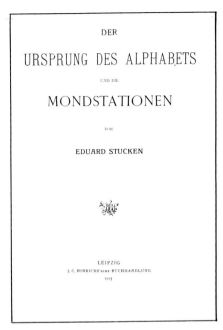

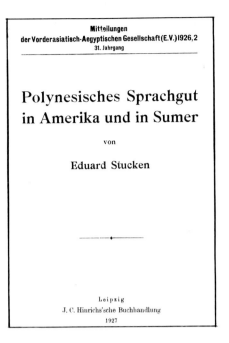

Abb. 1   *Astralmythen*, Titelblatt.

Abb. 2   *Der Ursprung des Alphabets und die Mondstationen*, Titelblatt.

Abb. 3   *Polynesisches Sprachgut in Amerika und in Sumer*, Titelblatt.

auch mit wissenschaftlichen Dingen befaßt hat — so wie Goethe, Strindberg und andere auch", und weiter: „Von der Expedition her war eine gewisse Neugier auf die Geheimnisse des alten Orients in mir wachgeblieben, vielleicht nachträglich erst wach geworden."[2]

1901 kam Stuckens Keilschriftaufsatz *Schamschazi* heraus, der sich mit altassyrischen Tontafelinschriften befaßt, eine wichtige Quelle für die *Astralmythen*. Das babylonische Totenbuch führt Stucken zu dem ägpytischen, das Stucken wiederum als Brücke zum *Popol Vuh* nutzt; ein Exemplar der Mythen und Legenden dieses „Buches des Volkes" der Mayas, schon damals eine seltene Amerikana, befand sich im Besitz Stuckens. Die Mayamythen verraten eine erstaunliche Übereinstimmung mit denen der Alten Welt. Die indianische Genesis gleicht der biblischen in vielen Punkten, im Chaos des Anfangs vor dem Sein, der Flutsage und ähnlichen Parallelen, die Stucken in seine *Weißen Götter* aufnahm.

„Zurückgekehrt nach Berlin, beschäftigte ich mich erst wieder mit literarischen Arbeiten, begann aber dann, angeregt durch die Reiseeindrücke, das Studium altorientalischer Sprachen, speziell der assyrisch-babylonischen", schreibt Stucken in dem wiederholt angeführten Brief an Brümmer vom 6. Mai 1905. Sein astronomisches Praktikum in Hamburg verband Stucken mit dem Erschauten und Erlebten auf der Expedition und mit anschließenden Fachstudien. Der Mythenbesessene sprang zu Assoziationen über und einer daraus resultierenden Hypothese, die im Gegensatz zur traditionellen Forschung stand. Als Einführung zu *Mose,* dem

fünften und letzten Band der *Astralmythen,* schreibt Stucken: „Während ich in den vier ersten Teilen dieses Buches mir die Aufgabe gestellt hatte, Mythen zu vergleichen und durch Herausschälung möglichst vieler Motive die Identität der Gestalten und Sagenkomplexe darzulegen, — werde ich in diesem fünften und letzten Teil versuchen, die Motive untereinander zu vergleichen und durch Zurückführung auf wenige Hauptmotive die Identität sämtlicher Motive nachweisen" (p. 431).

Die herangezogenen Mythen und Legenden bedeuten ihm lediglich Mittel zum Zweck, da es ihm darum geht, die Motive und ihre Verwandtschaft untereinander darzustellen. „Dies gilt auch von der Moselegende. Nicht die Persönlichkeit des Mose, sondern einige Motive aus der Lebensgeschichte des Mose werden hier besprochen und in die Vergleichsreihen eingeordnet werden. Der Inhalt des Schlußbandes würde richtiger mit dem Titel ,Motiv-Gleichungen' bezeichnet sein", fährt Stucken fort. Drews berichtet hierzu aus dem erwähnten Gespräch Stuckens: „Ich entdeckte die Bibel, die ich noch nicht kannte. Durch Luschan kam ich mit Hugo Winckler zusammen. Anregend und fruchtbringend wurde die Bekanntschaft mit Winckler, sowohl für mich wie für ihn, mehrere Jahre lang. Er wurde mein Lehrer in allen philologischen und orientalischen Dingen — ich aber wurde sein Lehrer in allem, was mit Religionswissenschaft und Sagenvergleichung zusammenhängt. Dies muß ich betonen, da es von Schülern und Freunden Wincklers anders dargestellt worden ist. Als Winckler mich kennenlernte, wußte er nichts von Mythologie, hielt alles Religiöse für Priesterbetrug. Ich aber kam von Bastian und Jakob Grimm her."[3]

Stuckens Hypothese lautet: „Nicht aber die Sagen-Gestalten (Typen) sondern die Motive sind über die Erde gewandert. Die Motive sind die Träger der Gestalten. Jeder Typus ist schwankend. Motive dagegen sind oft von unglaublicher Zähigkeit. . . . Die zweite Erkenntnis, die mir während dieser Arbeit gekommen und inzwischen zur absoluten Gewißheit geworden ist, ist die, daß die Mythen tatsächlich über die Erde gewandert sind. Daß, mit andern Worten, gewisse Analogien nicht anders erklärt werden können als durch Übertragung" (*Astralmythen, Esau*, p. 189). Anhand von Glossaren, Weltkarten und Beispielen weltweiter Märchentradition verfolgt Stucken die Wanderung der Sagenmotive über die gesamte Erde.

Im großen Urbuche des Himmels hat nach Stucken der Mensch seine Mythen aufgezeichnet: „Noch ehe die Menschheit in Erz und Stein zu meißeln lernte, projizierte die mythenbildende Phantasie ihre Gestalten an das gestirnte Himmelsgewölbe. Das ist das Anfangsstadium aller Kunst, älter und primitiver als die Zeichnungen der Rentierhöhlen" (*Astralmythen, Abraham*, p. 51).

Bei der Deutung zu dem bekannten Märchen-*Motiv der Kästchenwahl*, in dem ein Mädchen mit Hilfe eines Orakels den Sohn des Kaisers zum Bräutigam gewinnen will, und das Shakespeare in seinem *Kaufmann von Venedig* variiert, schließt sich Sigmund Freud Stuckens Gedanken an: „Eine erste Vermutung, was wohl die Wahl zwischen Gold, Silber und Blei bedeuten möge, findet bald Bestätigung durch eine Äußerung von E. Stucken, der sich in weitausgreifendem Zusammenhang mit dem nämlichen Stoff beschäftigt. Er sagt: ‚Wer die drei Freier Porzias sind, erhellt aus dem, was sie wählen. Der Prinz von Marokko wählt den goldenen Kasten: er ist die Sonne, der Prinz von Aragon wählt den silbernen Kasten: er ist der Mond, Bassanio wählt den bleiernen Kasten: er ist der Sternennebel."[4]

Auch das Uralphabet der Menschheit, das dem der Phönizier zugrunde liegt, führt Stucken auf die Konstellationen zurück, wie er in seinen Schriften zur Mythologie darlegt *Der Ursprung des Alphabets und die Mondstationen* (1913) und *Spuren des Himmelsmanns in Amerika* (1914) (Abb. 2). Die Idee des Astralkosmos als Quelle der geistigen Grundstruktur der Menschheit hing zur Zeit Stuckens in der Luft. Der Amerikanist Eduard Seler, die Orientalisten Alfred Jeremias und Hugo Winckler und selbst der Georgianer Rudolf Pannwitz vertraten sie: „Stuckens *Astralmythen* . . . das Früheste,

was auf Grund orientalistischer konkreter Forschung und durch Vergleichung von Überlieferungen über den ganzen Erdkreis hin über jenes große, ja größte System erschienen ist."[5]

Die Kritik stimmt in ihrem Urteil überein, „daß sich Stucken als bewundernswerter Kenner des mythologischen Materials fast aller irgendwie bedeutenden Völker der Erde zeigt."[6] Alfred Maast nennt die *Astralmythen* ein kostbares und einzig dastehendes Werk, „das in gewissem Sinne sogar innerhalb der jüngeren wissenschaftlichen Generation Schule machte."[7] Hugo Winckler selber bestätigte: „Die Erkenntnis von der Himmelskarte als Schlüssel zur Mythologie gehört Stucken."[8] Die Fachkreise dagegen rügten den „neumodischen mythologischen Pantheismus."[9]

Stucken glaubte an ein ungeteiltes Kernvolk der Menschheit, das durch elementare Naturereignisse aus seiner Urheimat vertrieben worden war, die Stucken anfänglich traditionsgemäß im biblischen Zweistromland lokalisiert, die er durch spätere polynesische und sumerische linguistische Vergleiche jedoch in die Südsee verlegt, wie er dies in *Polynesisches Sprachgut in Amerika und in Sumer* (Abb. 3) ausführt. Stucken nimmt in dieser Arbeit 1927 vieles voraus, was Thor Heyerdahl Jahrzehnte später erst der Weltöffentlichkeit zum Bewußtsein bringt.

Das in den *Astralmythen* gesammelte Material findet seine Auslegung im literarischen Werk Stuckens. Mythologische Bedeutung liegt in den Romantiteln *Die weißen Götter* und *Die segelnden Götter*. In gleicher Weise entspringt der Dualismusgedanke aus dem Studium der Astralmythologie: „Die Entwicklung des Geistes beginnt, wo die Entwicklung der Materie endet. Sie lösen einander ab. Der Geist entwindet der Materie die Krone und setzt sie sich aufs Haupt. Zeus vertreibt Kronos, der ihn verschlingen wollte. Dieser Dualismus, der Geist und Materie, Ja und Nein, Leben und Tod, Licht und Finsternis, Tag und Nacht, Sommer und Winter einander entgegensetzt, ist in jedem Mythus enthalten. Nicht als ob schon der Urmensch ein Philosoph gewesen, wie später die Inder und Orphiker. Der Mensch hat den Dualismus nicht erfunden, denn der Dualismus ist im Wesen der Welt begründet" (*Astralmythen, Mose*, p. 432).

Wir sahen am Ende unserer Einführung, daß der Dualismusgedanke Stuckens Gralsepos zugrunde liegt und nicht nur diesem, daß aus der zwiespältigen Idee der Kosmogonie aber im literarischen Werke Stuckens die chiliastische Hoffnung des Synkretismus erwächst, wie wir dies vor allem in den folgenden Kapiteln entwickeln werden.

8 Ehe- und Reisejahre

Die *Astralmythen der Hebräer, Babylonier und Ägypter* sind Stuckens wichtigstes Forschungsergebnis. Zeitlich parallel dazu begann er an seinem Gralsepos zu arbeiten, neben den *Weißen Göttern* Stuckens bedeutendste literarische Leistung. Bevor wir uns mit der Welt des Grals befassen, müssen wir den Lebensfaden des Dichters wieder aufnehmen. Wir fanden ihn seit seiner Studienzeit in Berlin ansässig, und wir haben seine wissenschaftliche Laufbahn in der Praxis an der Hamburger Seewarte und nach Sendschirli und in der Theorie bis zu den *Astralmythen* und den daraus resultierenden Schriften verfolgt. Der Gelehrte und Dichter war aber schließlich auch ein Mann. Leidenschaft beherrscht Stuckens literarisches Werk. Wie steht es um seine eigenen Herzensangelegenheiten?

Wir haben die beiden Frauen erwähnt, die ihn durch sein Leben begleitet haben. Mit dreiunddreißig Jahren ging Stucken die erste feste Eheverbindung ein. Von seinen früheren Liebesbeziehungen ist nurmehr wenig bekannt. Wir hören von einer Neigung für Adia aus der Familie Winkel, der seine Schwester Sophie Stucken-Winkel durch Heirat verbunden war. Stucken schrieb seiner Lieblingsschwester, die ‚Sonia‘ genannt wurde, am 28. Dezember 1897: „Ich hatte damals [1894] meine Schwärmerei für Adia Winkel noch nicht überwunden. Ich redete mir ein, Deinen gutgemeinten Warnungen zum Trotz, aus dem Kinde Adia werde sich ein ganz besonders beanlagtes Wesen entwickeln. Ich fürchtete, es könnte einst geschehen, nachdem ich Ania Lifschütz [seine erste Frau] geheiratet, daß ich in späteren Jahren Adia Winkel begegnete und dann bereuen würde, auf Adia Winkel nicht gewartet zu haben." Das Gedicht *Nach Jahren* könnte darauf anspielen:

Wir trafen uns wieder im Mengengewühl,
und während wir sprachen, umflorte
die jauchzende Angst das alte Gefühl,
das — ein eherner Dolch — uns durchbohrte.
(Das Buch der Träume, 1916, p. 19)

Ania Lifschütz war jedoch der eigentliche Gegenstand dieses Briefes an die Schwester: „Es sind jetzt bald drei Jahre her, daß ich nach Königstein kam, um ein Mädchen zu vergessen, das ich liebte, aber nicht heiraten zu können glaubte, weil sie Jüdin sei. Ich war der Meinung, ich könne das meinen Geschwistern nicht antun. Als ich später in Bolschewo Dir davon erzählte, hast Du mit Recht meine Handlungsweise gemißbilligt. Ich entsinne mich, daß Du damals sagtest, sie möge Jüdin oder Mohammedanerin sein, sobald sie mich liebte, und ich sie liebte, würde sie Dir als Schwester willkommen sein. Du warst vorurteilsloser und freidenkender als ich." Weihnachten 1897 verlobte sich Eduard Stucken mit Ania Lifschütz (Abb. 1).

Zur gleichen Zeit, da Stucken sein Glück mit Ania preist, behauptet sein dichterisches „Alter ego" eines Weibes Kuß verderbe und vernichte den Mann; „vom Weib kommt die Sünde" lautet ein Stuckensches Leitmotiv (*Simsons Mutter, Balladen*, 1920, p. 81). Strindbergscher Geschlechterkampf durchtobt Stuckens Werk vom Gespensterspuk der *Wisegard* (1898) bis zur Südsee-Erotik der *Segelnden Götter* (1936): „Er begehrt und haßt sie, stößt sie feindlich zurück" (p. 19). Doch seine persönlichen Erfahrungen mit Frauen schildert Stucken ausschließlich positiv. Nach dem Tode Frau Anias schreibt er an Felix Braun am 2. September 1924: „Statt zu klagen, sollte ich dankbar sein für das grenzenlose Glück, das Frau Ania mir geschenkt hat. Müde zu schenken, ist sie

Abb. 1   Eduard und Ania Stucken, geb. Lifschütz, 1898.

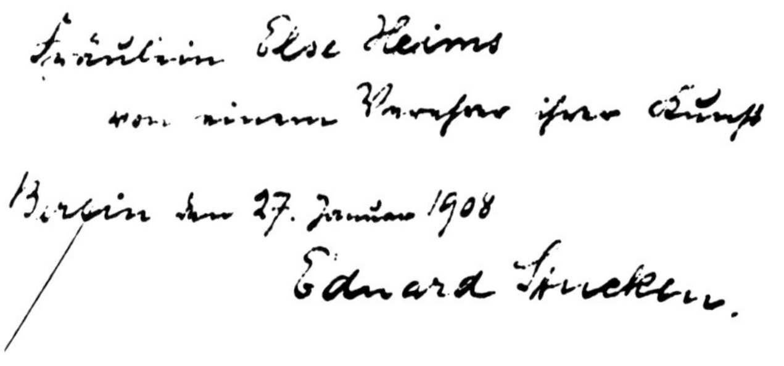

Abb. 2   Handschriftprobe Stuckens, Widmung an Else Heims, die Stuckens Werke vortrug.

Abb. 3   Hotel Alpenrose in Sils Maria am Maloja-Paß, Lieblingsaufenthalt Stuckens, Schauplatz von *Ein Blizzard*.

schlafen gegangen. Ich muß ihr das Ausruhen gönnen." Er spricht von seiner „glücklichen Ehe mit Ania und seiner nicht minder glücklichen" mit seiner zweiten Frau Anna Schmiegelow, die ihm sein einziges Kind schenkte. „Alles, was ich diese letzten Monate erlebte und noch täglich erlebe, erscheint mir zuweilen unwirklich; zu schön, um wahr zu sein; geradezu als träumte ich es. Und dies ist mein Traum: Ich bin vor Jahren gestorben und befinde mich irgendwo im Himmelsraum; den jedoch nicht Myriaden von Engeln bevölkern — vielmehr nur ein Engel (und welch ein lieber!) ist in diesem Traumhimmel", schreibt Stucken am 30. Januar 1926 an die Mutter Frau Annas.

Mit Lina Lossen, die Stuckens Frauengestalten auf der Bühne verkörperte, verband ihn jahrelange Freundschaft. Else Heims, der Interpretin seiner in Musik gesetzten Gedichte, trat er mit Verehrung entgegen (Abb. 2). Offenbart der Dualismus in Stuckens Weltbild eine eigene Wesensspaltung, die er sonst vor der Welt, vielleicht sogar vor sich selber verbirgt?

1898 schloß Stucken seine erste Ehe mit Ania Lifschütz, die bis zu ihrem Tod 1924 dauerte. Sie stand seinem dichterischen Schaffen mit feinem Verständnis gegenüber. Sie war für ihn Impresario und Sekretär in Personalunion: „Ania hat sich beim Abtippen des Dramas den Rücken überanstrengt, mußte mehrere Tage zu Bett liegen, hat auch jetzt noch Schmerzen und wird, wenn sie wieder abschreiben kann, immer nur kurze Zeit an der Schreibmaschine sitzen dürfen" (Brief an Efraim Frisch, 4. Dezember 1921). Stucken behauptete, „aus Prinzip und mangelnder Begabung" nie Briefe zu schreiben (an Kory Rosenbaum, 23. Februar 1909). Der Gedanke einer Briefschuld wächst zum seelischen Komplex. „Dank und Beantwortung, die in den ersten zwei Tagen ein Leichtes wären, schiebe ich hinaus — um meine Arbeit nicht zu unterbrechen — mit der selbstbetrüglichen Begründung: ich müßte den Brief in einer Mußestunde schreiben. Die Mußestunde kommt nie (das hätte ich im voraus wissen können!). Nach einiger Zeit tritt eine Krisis ein, Beklemmungen, Insuffizienzgefühle. . ." (an Felix Braun, 11. Juni 1923).

Abb. 4   Hotel Alpenrose war Treffpunkt vieler Schriftsteller vor dem ersten Weltkrieg, außer Stucken, Rudolf Kaßner, Emil Lucka, Morgenstern, Arthur Schnitzler (hier auf dem Bild liegend).

Frau Ania übernahm auch das Amt des Privatkorrespondenten und trat dadurch dem selbstzerstörerischen Masochismus Stuckens entgegen. Sie schützte ihn gleichsam vor der Welt, und daß er dieses Schutzes bedurfte, sah Felix Braun, Stuckens Freund, sehr genau: „Aus dem Osten Rußlands war ... seine erste Frau Anja [sic!] zu ihm gekommen, die auf das Rührendste für den in allen Dingen des äußeren Lebens Unbewanderten sorgte. Er war hilflos wie ein Kind, und sie wurde seine Mutter."[1] Ania begleitete ihn auf seinen Reisen, ja, von wenigen Ausnahmen abgesehen, wurde sie sein Sprachrohr zur Umwelt, während er selber es vorzog, sich hinter dem literarischen Ausdruck zu verbergen.

Aus einigen sehr persönlichen Gedichten spricht das erlebende Ich des Dichters: „Als dein Haar die Schläfe mir gestreift" (*Des Haares Duft, Das Buch der Träume* 1916, p. 18). Den Briefen Frau Anias an gemeinsame Freunde, darunter Lina Lossen, mit farbigen und lebhaften Reiseschilderungen, kann man entnehmen, daß selbst Stuckens Romane trotz ihres historischen Abstandes ein Erlebnisfaden durchzieht; denn auch die Handlung von *Ein Blizzard*, dem einzigen Erzählwerk Stuckens aus seinem eigenen Zeitbereich, spielt sich retrospektiv ab: „Schnee fiel, unzeitgemäße, winterkalte Flocken tanzten über dem Silser See, als mich im Juli 1899 die vierspännige Postkutsche (damals gab es das noch!) aus dem südheißen Licht Chiavennas über die von Apollofaltern überflatterten Serpentinen das ernste Bergell hinaufgetragen hatte in die kristallharte Luft Malojas" (*Ein Blizzard*, 1935, p. 105). Dazu entsprechend schreibt Ania Stucken an Lina Lossen, 12. Juni 1913: „Die Reise von Venedig nach Chiavenna (von wo die Post hier heraufgeht) war fantastisch heiß. – Wir ... bleiben dann noch drei Tage in Vicosoprano (auf halbem Postwege zwischen Chiavenna und

hier) als Zwischenstation, um nicht in diese Höhe direkt zu kommen."

Wir erinnern uns, daß Stucken das Land seiner Geburt nur noch einmal besuchte, mit einer Station bei Tolstoi: „Ins Jahr 1898 fällt eine Reise nach Korfu und über Moskau nach dem Kaukasus und der Krim. Seitdem habe ich – von mehreren Reisen nach Italien und einer nach England abgesehen – ununterbrochen in Berlin gelebt" (an Brümmer, 6. Mai 1905). Korfu und die Krim klingen in den Landschaftsbildern Cyperns in *Giuliano* (1933) nach, das Erlebnis des Kaukasus in der verwandten Bergwelt der Kordilleren Mexikos. Diesen einzigen Schauplatz im dichterischen Werk Stuckens, den er nicht aus eigener Anschauung kannte, erarbeitete er sich durch gründliches Studium, so daß selbst mexikanische Kritiker bewundernd bestätigen, Stucken „ha penetrado en su materia de una manera enteramente digna de un candidato para el grado de doctor",[2] also einen Doktorgrad hätte er sich durch seine intensiven kulturellen, geographischen und historischen Studien Mexikos erwerben können. – Eine Reise nach Belgien und Holland 1913 könnte Stucken zu dem holländischen Spelunkenmaler Adrian Brouwer geführt haben. Stuckens Brouwer-Drama erschien 1914. Jahre später findet die Englandfahrt ihr Echo im Shakespeareroman von 1929.

Den Menschen der Ebene bedrängt die Eingeschlossenheit der Bergwelt, oder sie überwältigt ihn in ihrer Erhabenheit, so bei Stucken, den es immer wieder ins Engadin zog. „Noch während der Fahrt von Maloja bis zum Kap Chüern umwirbelte uns das Schneegestöber und wich erst dicht vor Sils den sieghaften Sonnenstrahlen. Als ich im Hotel Alpenrose anlangte, glitzerten alle Wiesen und Wege der Hochebene, von einem dünnen Laken Julischnee überdeckt" (*Ein Blizzard*, p. 105), (Abb. 3 u. 4). Das betriebsame Hotelleben der Alpenrose ist für Arthur Schnitzler Gegenstand seiner psychoanalytischen Gesellschaftskritik in *Fräulein Else*. Bei Stucken dient es als Folie für eine phantastische Handlung, die er mit der gleichen impressionistischen Nervenkunst abrollen läßt wie Schnitzler oder Stefan Zweig, die bis in die Landschaftsschilderungen spürbar ist. „... gelangte ich zur Chasté und befand mich bald auf ihrer südlichsten ins Wasser hinauszüngelnden Spitze, von wo aus sich hart, nervös, grausam die See- und Gletscherlandschaft vor dem Auge hinstreckt" (*Ein Blizzard*, p. 109).

In Sils kreuzen sich viele Lebenspfade. Ania Stucken schreibt aus dem Hotel Alpenrose in Sils Maria an Lina Lossen, 5. Juli 1912: „Es hat sich hier ein Stammpublikum eingenistet, das seine Zimmer ‚weitervererbt' an Bekannte", und weiter: „Rudolf Kaßner ist erst gestern angekommen, wir hatten heute ein paar schöne Stunden mit ihm. Überhaupt hat es uns an Gesellschaft nicht gefehlt. Erst war Emil Lucka aus Wien hier und die letzte Woche waren wir öfter mit Dr. Kippenbergs (Leipzig) zusammen. Er ist Besitzer des Inselverlages; ganz nett und lustig. Hat uns sogar zu einer größeren Fuß-Tagestour ins Gebirge hinauf verführt, die wunderschön war. Am Lej Grischus waren wir; klingt doch schön!" Es kommt zu persönlichen Begegnungen, zur bleibenden menschlichen Bindung. Im Gebiet Meran und San Vigilio machen Stuckens Wanderungen mit Christian Morgenstern.

Geistiger Treffpunkt bleibt aber die Wahlheimat Berlin, wo Martin Buber, Felix Braun, später Ludwig Fulda, Wolfgang Goetz, Walter von Molo, Rudolf Pannwitz, Stuckens Gesprächspartner werden. Wolfgang Goetz berichtet aus seiner Erinnerung: „Daß Stucken zu den verkannten Dichtern zu zählen wäre, kann man nicht sagen. Zu seinen Freunden gehörten außer den Intimen Oskar Loerke, Moritz Heimann und Max Marschalk, die Wiener [sic] Jakob Wassermann und Richard Beer-Hofmann. Am liebsten aber war Stucken allein, und zum Abschluß größerer Arbeiten zog er sich wohl in ein Haus bei Saaleck zurück. Bei aller Schüchternheit war er kein Sonderling. Er konnte, war der Bann einmal gebrochen, lebhaft, ja leidenschaftlich sprechen, und dann entwarf er meisterliche Skizzen; so hatte man, wenn er von einem Besuch bei Tolstoi sprach, das Gefühl, dem großen Grafen leibhaftig gegenüberzustehen. Stucken war aber auch ein guter Zuhörer. Er konnte einen anderen an Worte erinnern, die der längst vergessen und deren Inhalt er wohl gar schon überwunden hatte. Er lachte sehr gern und hatte es in dieser Kunst sehr weit gebracht. Er lachte wie ein Kind, und nicht selten mußte er sich die Augen wischen. Schon aus diesem Grunde ist es ganz falsch, ihn etwa als eine Art von deutschem Präraffaeliten anzusehen, welche Poetengruppe er übrigens dankbar als seine Lehrer pries, doch will uns Stucken männlicher erscheinen, denn die Engländer dieser Richtung haben der Gorgo nie so wild ins fürchterliche Antlitz zu schauen gewagt wie ihr deutscher Schüler."[3]

Auf Einladung des Ehepaares Rosenbaum vom Wiener Burgtheater reist Stucken als gefeierter Theaterdichter nach Wien. Sein einziges posthum aufgeführtes Werk, *Der irrende,* *wirrende Liebesbrief,* erinnert in seiner Schwerelosigkeit an die Atmosphäre der Wiener Salonkomödie. Das gelobte Land bleibt jedoch Italien. Seit seinem ersten Besuch in Triest, der mehr einer Zwischenlandung auf seiner Kleinasienreise glich, lockte ihn Italien: „Es ist aussichtslos trostloses Wetter! Wir fliehen nach Venedig", schreibt Ania Stucken an Kory Rosenbaum aus Berlin, 6. Mai 1910, „und sind wieder mal, wie so oft schon, ganz glücklich, in Venedig zu sein", am 13. Mai 1910. Darin ist Stucken so ganz der Bewohner nordischer Breiten, der sich in das Sonnenland träumt, Istrien, Venedig, Charivari, Genua, vor allem aber Florenz, die Stadt Michelangelos, Botticellis, Cellinis, der Medici und Schauplatz seines letzten Romans *Giuliano.* – Durch die Auswirkungen des ersten Weltkrieges war Italien für Stucken unerreichbar geworden, und er bekennt: „Sizilien – für mich das verlorene Paradies" (Brief an Felix Braun, 17. November 1929).

Die Gegenwart Berlins klingt in seinem Werk höchstens andeutungsweise an, etwa in einem Gedicht *Auf dem Bahnhof* (*Balladen,* 1920, p. 57). Der Asphaltdschungel war seine Sphäre nicht. Er mußte sich geographisch oder historisch – zumeist in beiden Sphären – von der Welt seiner Realexistenz distanzieren, um sie aus seiner Phantasie gleichsam geläutert wiedererstehen zu lassen. Er unternahm zwar keine Weltfahrten wie Max Dauthendey, aber gleich ihm verkörpert er den Typus des romantischen Sehnsuchtswanderers. „Genie des Sehens" nennt ihn Fritz Cronheim.[4] „Im Norden war seine Sehnsucht nach Poesie, Sehnsucht nach einem nebelhaft fernen Paradies gewesen. Nun aber, seit sieben Jahren, hatte er Dichtung gelebt, hatte er dank seiner lebhaften Phantasie die kleinen Geschehnisse des Alltaglebens zu zauberhafter Poesie umgedichtet" (*Larion,* p. 134). Der romantische Sehnsuchtswanderer sucht sein Glück in der Welt- oder in der Zeitenferne, und so folgen wir Stucken in die mythische Zeitentiefe der Gralswelt.

9 Der Weg zum Gral

Der keltischen und germanischen Sagenwelt näherte sich Stucken nicht erst als Mythologe. Sie gehört zum Erlebnisbereich seiner Kindheit: „Als Zwölfjähriger lernte er bereits Shakespeare und die *Edda* kennen – sie wurde für ihn das ‚Buch der Bücher' – und er besaß und las damals bereits Gottfried von Straßburg im Urtext", berichtet Arthur Drews.[1] Schon der Stoff für seinen zweiten Dramenversuch nach der Bremer *Vestalin,* den ebenfalls nicht erhaltenen *Wieland,* entnahm Stucken der germanischen Überlieferung, die ihm noch 1935 als Quelle für *Adils und Gyrid* diente, eine Wikinger-Variante des kretischen Minotaurus-Mythos.

In *Adils und Gyrid* werden dem Hundegott Hop lebendige Königstöchter zum Fraß vorgeworfen. Zu Recht rügt Emil Barth die Einstufung des grauslichen Märchens als ‚Erzäh-

lung'.[2] Allein darum wäre es ein Märchen zu nennen, weil es mit seinem glücklichen Ausgang als Rarität unter den Werken Stuckens dasteht. Die dem Menschen bei Stucken stets feindlichen Schicksalsmächte reißen die Liebenden in seinen Werken immer wieder auseinander. Sie ersehnen und suchen den Tod, der ihnen die Bürde des Lebens abnehmen soll. Am Schluß von *Astrid* heißt es:

Steinthor:
Wir hätten Astrid gern geschont.
Jedoch sie warf sich zwischen uns und ihn.
Auch sie ist tot.

Osvif:
Wohl ihr! – Sie war mein Kind,
Doch preis' ich es als Glück, daß ihr der Tod
Des Lebens Bürde abgenommen hat (p. 78).

Abb. 1 Die Brüder Surtur und Loki vor dem Skelett ihres von Wodan ermordeten Vaters, des Riesen Muspel, Zeichnung von Fidus zu Stuckens Eposfragment *Götterdämmerung* von 1898.

Neben den durch die Sendschirli-Expedition angeregten Balladen findet sich in der ersten Sammlung von 1898 eine echt Stuckensche Vielfalt der Thematik, die sich in Titeln zeigt wie *Abälard und Héloise, Lotos, Pierrots Lehrgedicht,* und die in ihrem kunstvollen, mitunter gekünstelten Formenreichtum ein zeittypisches Beispiel epigonaler Literaturtradition abgeben, von Fidus im Jugendstil illustriert.

Stucken besaß ein feines Sprach- und Formgefühl. Klugen Rat erteilt er dem Freund Felix Braun nach der Lektüre von dessen Manuskript für das Drama *Till Eulenspiegel:* ,,Beim Lesen wurde ich das Gefühl nicht los, daß das Drama in der Luft schwebt. Es baut sich auf auf Voraussetzungen, die schwer hinzunehmen sind.

Auch mit der Art, wie Sie Schilda gezeichnet haben, bin ich nicht ganz einverstanden. Ich denke es mir anders. Sollte ich je ein Schildbürgerdrama schreiben, ich würde die Kerls reden lassen . . . ganz vernünftig. Sie sind ja längst nicht aus-

gestorben, wir sind umgeben von ihnen. Welches Rathaus hat denn Fenster? " (Brief an Felix Braun, 24. Juni 1911). Hätte Stucken seine eigenen Gestalten nur immer ,ganz vernünftig' reden lassen!

Themen aus der nordischen Sagenwelt und Geschichte dominieren in der ersten Balladensammlung von 1898. Stark empfunden wie stets bei Stucken, sind schon die Gestalten des einzigen bekannten Gesanges der *Götterdämmerung,* als Eposfragment von 154 Strophen der Gedichtausgabe beigegeben, von Fidus bebildert (Abb. 1). Hermann Kienzl bemerkt dazu: ,, . . . und aus dem grauen Urnebel" der nordischen Riesen und Alben ruft Stucken ,,die alte Edda und gibt ihr unsere junge Weltanschauung. Sein Wotan leidet wie Nietzsches Zarathustra für den Gedanken des Helden oder Künstlermenschen, den Neid und Haß der Zunftgeister zu Tode zerren."[3]

Die Ballade *Crothild* schildert die erbarmungslosen Machtkämpfe der rivalisierenden Söhne des Merowingerhauses, mit Bruder- und Kindermord und Mutterfluch. Die Schauermotive für seine ,,Gezügelt-ungezügelten Balladen, in denen sich Liebesbrunst mit Grausamkeit vermählt",[4] entnimmt Stucken der gleichen Sagentradition. *Wisegard* ist das erste gedruckte Drama Stuckens und durch die Aufführung am 21. November 1905 im Intimen Theater Wien zugleich Stuckens erste Theaterpremiere.

Landesverrat aus erotischer Verstrickung, Mord an einer unehelich geborenen und geheimgehaltenen Tochter, aus Eifersucht, als sie ihrer Mutter zur Rivalin wird — der dämonische Weibsteufel im Kampf mit der Lilienstengelmaid um den schwachen Mann — übernatürliche Vorgänge wie astrale Liebesumarmungen, ähnlich wie in Goethes *Braut von Korinth,* lassen in *Wisegard* wie in den Balladen die Stuckenschen Grundmuster erkennen: Psychoanalyse hemmungsloser Leidenschaften, zeitlich und räumlich verfremdet im historischen oder exotischen Gewand oder in dem der Sagen- und Märchenwelt.

Noch wilder ist die zeitlich und stimmungsmäßig auf *Wisegard* folgende ,,grausenerregende Mär" aus der isländischen Heldendichtung um König Ragnar Lodbrok und sein inzestuöses Verhältnis zu seiner Tochter *Yrsa* (1897). Stuckens Übertreibungen beeinträchtigen die Wirkung der symbolträchtigen Märchentragödie, die wie *Wisegard* literarisch unter dem Einfluß von Maeterlincks *Tragédies de la peur* und der Traumstimmung von Henri Régniers *Belle au Bois dormant* steht.

Die Frauengestalten aus den Balladen und frühen Dramen sind alle Vorläufer für seine Brunhildenfigur *Astrid* (1910). Stucken rückt hier in die Nähe des Neuklassikers Paul Ernst, der mit seinen Lanval- und Ninonstücken den Stuckenschen Bearbeitungen der Themen folgte. Aber es handelt sich bei *Astrid* nicht wie bei Ernsts Nibelungendrama um die Bühnenverkörperung einer dialektisch-abstrakten Idee, wie sie Ernst theoretisch in seinem *Zusammenbruch des Idealismus* formuliert, sondern wie in Ibsens *Nordischer Heerfahrt* wird der Charakter der Heldin zu ihrem Schicksal. Ihre kompromißlose Haßliebe ist der Angelpunkt des Stückes. Astrid steigert sich in einen blindwütigen Penthesileahaß hinein, so daß ihr Gatte Bolli (der Gunther der deutschen Nibelungensage), selbst sich von ihr wendet:

Astrid! Mich schaudert vor dir! Ich beneide
Dich um dein Herz nicht. Unglücklich bin ich, —
Doch du, viel, viel unglücklicher bist du (p. 61).

Die Humanität der Männer wird von Astrid als Schwäche ausgelegt:

Wozu auch seid ihr da? Vergriff sich nicht
Die Gottheit, als sie aus dem See der Seelen
Euch fischte und euch Männerleiber gab?
Ihr solltet Bauerndirnen sein, die weder
zu Gutem noch zu Bösem fähig sind!
. . . Gemacht ist Blut aus Feuer, —
Doch euer Blut ist Wasser, das nie brennt! (p. 59—60).

Stucken selber hielt viel von seiner *Astrid*, „Es ist meine Überzeugung (und auch die meiner Freunde), daß ich nie ein besseres Drama geschrieben" (an Kory Rosenbaum, 3. Februar 1910). Und doch fiel das Stück durch in Berlin, nicht auf Grund negativer Kritik, sondern das Drama wurde ein Opfer der Reinhardtbühnen-Manipulationen: „Der Premierenabend war außergewöhnlich warm und stimmungsvoll, mit vielen Hervorrufen — trotz einer miserablen Aufführung, in der nur die Dietrich [Darstellerin der Astrid] erstrangig war. Alle Dinge, die nicht von Reinhardt persönlich gemacht werden, sind eben Quantité négligeable am Deutschen Theater. Die Presse war gut, wenigstens die Hauptstädter; das Publikum der zweiten Aufführung ging so sehr mit, daß die Leute nicht ruhten, bis mein Mann auf die Bühne geschoben wurde — in Hut und Wintermantel mit dem Regenschirm in der Hand . . . Am nächsten Tag setzten sie die *Astrid* ab, weil *Die schönen Frauen* [von Etienne Rey, ins Deutsche übertragen von Otto Eisenschütz] eine höhere Einnahme ergaben, wie es meinem Mann am Theater erklärt wurde", Ania Stucken an Kory Rosenbaum, 3. Februar 1913.

Astrid blieb Stuckens einziges Blankversdrama nach klassischem Vorbild. Ein eigenes Formgewand schuf er sich dagegen für seinen Gralszyklus.

10 Der Gral, ein dramatisches Epos

Stuckens Gralszyklus besteht aus acht vollendeten Einzeldramen; fünf von diesen gingen über die größten deutschsprachigen Bühnen. Vor allem waren es die Aufführungen Max Reinhardts, die Stucken seinen stärksten Erfolg — neben dem Mexikoroman — brachten. Darum muß man Stucken in diesem Rahmen als Theaterdichter betrachten, obwohl er selber, bei aller Freude über diesen Ruhm, nicht die Betonung auf den Dramatiker sondern den Dichter legte; denn die Gesamtausgabe der Gralsdramen trägt den Titel: *Der Gral*, ein dramatisches Epos. Entsprechend dazu ist einmal von Plänen zu einem Cortez-Drama die Rede, aber am liebsten hätte Stucken selbst die Eroberung Mexikos durch die Spanier als Epos dargestellt. Nur zögernd gestand er Felix Braun im Gespräch, daß die Zeit der großen Epen der Vergangenheit angehörte, und so verarbeitete er den Stoff schließlich zu dem Roman *Die weißen Götter*, „die er ursprünglich als Epos in Versen plante und deren prosaische Niederschrift durch seine Notlage erzwungen wurde."[1]

Als symbolische Komponente zum Jahresablauf gestalteten die Dichter der Gralswelt ihre Epen in zwölf Gesängen, von Edmund Spensers Allegorie *The Fairy Queen* (1589) bis zu Tennysons *Idylls of the King* (1857—72), dem Stucken viel verdankt. Und so plante auch Stucken seinen Gralszyklus aus zwölf Dramen, die sich in ihrem Handlungsablauf auseinander entwickeln und von der Idee des Grals zusammengehalten werden sollten. Stucken beschäftigte sich zwar ein Vierteljahrhundert mit diesem Thema, aber durch Mißfolge während der letzten Jahre entmutigt, reduzierte er sein Konzept auf zehn Dramen: „Meine Arbeit ist nun einmal mein Morphium; zu einer Entwöhnungskur gönnte ich mir bislang die Zeit nicht. Habe ich denn noch so viel Zeit? Mit der Hetzpeitsche steht das Gefühl des Alterns hinter mir. Ich muß noch so manches erledigen, bevor mir die Reiseschuhe angezogen werden (wie die Bauern hier in Thüringen sagen). Vor allem darf mein Gralszyklus kein Torso bleiben. Das ist wichtiger als alles andere. Das achte Gralsdrama, an welchem ich augenblicklich schreibe, hoffe ich im kommenden Winter beenden zu können. Dann bleiben noch zwei Dramen, die durchaus geschrieben werden müssen", so Stucken an Felix Braun am 11. Juni 1923 aus Saaleck in Thüringen.

Das achte Drama, das Stucken hier erwähnt, blieb auch das letzte, das er zu Ende führte. Es handelt sich um *Zauberer Merlin*, der mit den anderen sieben in den ersten Band seiner gesammelten Werke aufgenommen wurde, der 1924 bei Reiß in Berlin erschien. Der Verlag ging in Konkurs, und so mußte Stucken, wie so vieles andere auch, den Traum einer Gesamtausgabe begraben, die sein Schaffen in vier Bänden vorlegen sollte.

Stucken scheint seine Pläne für den Gralszyklus mehrmals geändert zu haben. 1909 schrieb er, das letzte Drama „wird *Artus' Tod* heißen und wird den (mit *Merlins Geburt* beginnenden) Zyklus abschließen, da es vom letzten großen Kampf und vom Untergang des Artusreiches handeln wird", an Kory Rosenbaum, 23. Februar 1909. Wolfgang Goetz dagegen bemerkt: „Die im wahrsten Sinne . . . des Wortes Krönung des Werkes, die Tetralogie der Wanderungen und endlichen Krönung Parzivals zum Herrn der Gralsritterschaft, wurde nicht mehr geschrieben. Skizzen sind von den Bomben vernichtet worden. Als ich Stucken Anfang der zwanziger Jahre anflehte, doch das Werk abzuschließen, ge-

Abb. 1   Alfred Gerasch als Lanval in Stuckens *Lanval* auf dem Burgtheater, Wien, 1911.(Heinz Kindermann, Theatergeschichte Europas, Salzburg: O. Müller, 1968, Bd. 8, Bildseite 198.)

riet der sonst so stille Mensch in heftige Verzweiflung und rief ungewöhnlich laut: ‚Glauben Sie denn, daß irgend jemand von all diesen Dingen noch hören will? ‘ “ ²

Zu dem Gedanken Parzival als Leitgestalt äußert sich Jost Hermand heute kritisch: „In dieser Figur scheinen alle Tendenzen der Zeit zusammenzulaufen: sie ist undogmatisch, synkretistisch verschwommen, literarisch dehnbar, mit der Patina des Alten und Ehrwürdigen behaftet, weltlich-religiös, Erbteil der deutschen Kulturtradition und ließ sich daher gut als religiöses Substrat verwenden, ohne daß man der Gefahr erlag, sich auf eine bestimmte Richtung festzulegen.“ ³ Es ist zutreffend, daß durch die Verkürzung auf acht Dramen und durch die unendlich vielfache Verwendung des Gralsmotives nicht klar zum Ausdruck kommt, was sich Stucken unter der Gralsidee vorstellte. Doch das entsprach seiner Absicht; denn der Gral dünkte ihm „Mysterium — in jenem alt-ursprünglichen Sinne: Geheimnis, Symbol, unvergängliches Gleich-

nis.“ ⁴ Man behauptete sogar, daß Stucken seinem Mysterium das Geheimnis raubte. „Wird der Mystizismus gar durch die Gestalten des Mysteriums sozusagen erklärt, Symbolik mit gereimten Fußnoten versehen, setzt sich Achtung auf den Thron und regiert, nachdem sie das zarte Gefühl verjagt hat.“ ⁵ Der Vorwurf, daß man den Faden der Handlung verlöre, könnte man Stucken allenfalls bei *Zauberer Merlin* machen. Bei den meisten Stücken heißt es eher: „Eine schlichte, in einfachen Linien aufgebaute, wenig bewegte Handlung, aber voll fremdartig-schöner Stimmungen. Sie greift zurück in die verhüllten Tiefen der Sage und legendärischen Überlieferung, in die einfältig-gläubige Welt des Märchens, wo das Unbegreifliche getan, das Unzulängliche Ereignis, das visionär erschaute Wunder lebendige Wahrheit wird.“ ⁶

Wie es bei einer Zeitspanne von 25 Jahren zu erwarten ist, sind die Dramen unterschiedlich in ihrer Tektonik. Allgemein erkennbar ist eine Entwicklung zum Epischen; denn in die Entstehungsjahre der späteren Dramen fällt auch die Wandlung Stuckens zum Romancier. *Gawan* von 1902 zeigt noch die klassischen fünf Akte und ein übersichtliches Personenverzeichnis. *Uter Pendragon* von 1922 weist eine so lange Personenfolge auf, kompliziert durch die Erscheinung einzelner Charaktere als ‚Bilder‘, daß der Leser nur deshalb zu folgen vermag, weil ihm viele Gestalten und Ereignisse aus früheren Gralsdramen vertraut sind. Ich sage Leser; denn als Stucken in den 20er Jahren an seinen letzten Gralsdramen schrieb, dachte er kaum noch an eine Aufführung. Theatermäßig wirksam — oft sogar gegen die dramatischen Gesetze — waren alle Stucken-Dramen, die das Rampenlicht erblickten. Das bestätigen die Besprechungen: „Stuckens Ruf als Dramendichter . . . ist zu fest begründet, als daß wir es noch nötig hätten, Rühmliches über seine Kunst zu sagen. Aus seinem letzten Werk, — — — geben wir die Schlußszene des 2. Aktes, die selbst als Bruchstück gesehen, Inhalt und dramatische Kraft des Werkes [es handelt sich um den *Lanzelot*] zeigt.“ ⁷

Die fünf ersten Gralsdramen konzipierte Stucken von vornherein für das Theater: „Seit ich vor dreißig Jahren (1880 oder 1881 war es) Kainz zum ersten Mal sah, war es mein Traum, ihn eine meiner Gestalten verkörpern zu sehen. Ich kann so leichten Herzens auf die Erfüllung dieses Traumes nicht verzichten“, schrieb Stucken an Dr. Rosenbaum am 22. Juli 1910, als er um die Aufschiebung der Aufführung seines *Lanval* auf dem Burgtheater bat, weil Kainz wegen Krankheit die Hauptrolle nicht spielen konnte. Wieder einmal mußte Stucken verzichten. Kainz starb, und Alfred Gerasch übernahm die Rolle (Abb. 1).

Stuckens Gralsdramen hielten sich vor allem darum nicht auf den Spielplänen, weil sich der Publikumsgeschmack wandelte. Seit 1964 beginnt sich eine malerische Renaissance der Präraffeliten in Einzelausstellungen anzubahnen, darunter eine Spezial-Schau im Pariser Petit Palais. Neben Gemälden von Edward Burne-Jones und Holman Hunt rückt vor allem der Malerdichter Dante Gabriel Rossetti in den Vordergrund, mit einer Würdigung 1973 in der Londoner Royal Academy. Rossettis *Die Jungfrau vom Gral* wurde Ende 1973 in der Kunsthalle in Baden-Baden ausgestellt. Recordziffern von Besuchern wurden verzeichnet. Wird das Nostalgie-Bedürfnis auch der romantisch-präraffelitischen Dichtung eine Wiederauferstehung bescheren? Wir wünschen es für Stucken.

Das sprachliche Gewand der acht Gralsdramen bleibt dasselbe, da Stucken auch im Versmaß den Zyklusgedanken zum Ausdruck bringen wollte. Die Kritik blieb nicht aus: „Ebensooft wie seine Sprache über die selbstgestellten Schwierigkeiten siegt, ebensooft versagt sie, muß versagen. Außer Rückert hat sich niemals ein Dichter eine derartig sprachlich und dichterisch schwierige Aufgabe gestellt."[8] Ein solch strenges Metrum muß die Sprache mitunter forcieren, sie ins Verskorsett zwängen: „In Stuckens Versen, die freilich in ein sehr schwieriges Metrum gefaßt sind, begegnet man immer wieder Plattheiten, seltsamen Gesucht-

heiten und hohlem Pathos. . . Ein solcher Versuch, wie der Stuckens, mittelalterliche Dichtung dem modernen Menschen nahe zu bringen, ist abzulehnen."[9] So urteilt Otto Löhmann, dessen unkritisches literarisches Sensorium sich offenbart, wenn er als Gegenbeispiel zu Stucken als ‚wirklichen Dichter' Richard Wagner preist.

Eduard von Winterstein, der immerhin drei Gralsdramen Stuckens auf der Reinhardtbühne inszenierte und selber als Schauspieler mitwirkte, fand gerade in diesen Versen neue Ausdrucksmöglichkeiten: „Jeder Vers hat in der skandierten Mitte noch einmal einen Reim, und diesen phonetisch pikanten Reim leise andeutend zur Geltung zu bringen, ist die schauspielerische Aufgabe für die Darstellung dieser Dichtungen."[10] „Stuckens dichterische Sprache begeisterte mich", schreibt von Winterstein, und es bedarf dieser Begeisterung, will man sich die Mythen- und Märchenwelt erschließen von Lucifer und Merlin, Artus, Lanzelot und Galahad.

11 Von Lucifer zu Galahad

Die einzelnen Gralsdramen wollen wir um ihres inneren Zusammenhanges willen nicht entstehungsgeschichtlich behandeln, sondern wie Stucken selber sie in seinem Gralsband anordnete:

Lucifer (für die Gesamtausgabe), Mysterium	1913
(*Merlins Geburt* im Erstdruck)	
Vortigern, Tragödie	1924
Uter Pendragon (für die Gesamtausgabe), Drama	1922
(*Das verlorene Ich* im Erstdruck)	
Zauberer Merlin, Drama	1924
Gawan, Mysterium	1901
Lanval, Drama	1903
Tristram und Ysolt, Drama	1916
Lanzelot, Drama	1909

Durch die Änderung der Titel zweier Dramen erreicht Stucken, daß jeder Abschnitt des Gralsepos nach seiner männlichen Hauptgestalt genannt ist.

Wie Karl Immermanns *Merlin* (1832), dessen Vorspiel Stuckens verpflichtet ist, beginnt Stuckens *Gral* mit einem Auftakt. In dem wiederholt beschworenen Gespräch mit Stucken betont Arthur Drews, daß der Dichter in der Gestalt des Lucifer vor allem den gefallenen Engel sieht, der sich gegen Gott auflehnt, der durch die Liebe seiner Seelenhüterin Eloa, seiner Geliebten Dahût und Mutter seines Kindes, vor allem aber durch die Geburt seines Sohnes Merlin vor der Verdammnis errettet werden kann, wie bereits aus Stuckens ursprünglichem Titel *Merlins Geburt* hervorgeht.[1]

Als *Merlins Geburt* (Abb. 1, 2 u. 3) erhöhte Stucken die Bedeutung des Kindes, das durch das Erbe seiner reinen Mutter nicht nur zum herbeigesehnten Gegenheiland für Lucifer wird, sondern zum Widersacher des Bösen, den dieser selber in die Welt gesetzt, als Gegenkomponente der synkretistischen Vorstellung, wonach in grauer Urzeit der All-Eine sich

in Gut und Böse selber gespalten. Christian Morgenstern will diese Deutung Stuckens nicht als Mysterium gelten lassen. Ihn beeindruckt das Werk zwar als Dichtung, aber die Interpretation des Mysteriums erscheint ihm zu persönlich, nicht dagegen das Mysterium des Theosophen Rudolf Steiner *Die Pforte der Einweihung*, wofür Morgenstern mit seiner „ganzen Seele von ihm und für ihn zeugen" will.[2] Johannes Reichelt sagt dagegen unter dem Eindruck der Dresdener Uraufführung des Lucifer-Mysteriums: „Die Zuschauer entzündeten sich an dem Mysterium um Lucifer und dankten mit stürmischen Huldigungen Dichter und Darstellern", und weiter, Stucken „gibt zu dem Goetheschen Mephisto einen Widerpart, den gefallenen Engel Gottes, den stolzen Hasser und Verneiner, der ein Gottsucher wird. Ein starker, kühner Wurf voll Kraft in seiner Idee, voll Poesie in der Heilssehnsucht."[3]

Stucken siedelt das Lucifer-Geschehen in der nebelhaften Frühgeschichte Britanniens an, damit er die mit *Vortigern* beginnenden Artusmythen anfügen konnte. Der Seneschall Vortigern ist eine Macbeth-Gestalt. Brennender Ehrgeiz verleitet ihn, Gewissensbisse — er ist Königskindermörder wie Shakespeares Richard III., an den das Stück Stuckens erinnert — Gewissensbisse unterhöhlen seinen Widerstand. Er ist ein mächtig angelegter Charakter im Bösen, der als Individuum den Kampf mit der Übermacht Schicksal aufnimmt und am Zwiespalt zwischen Wille und Vorsehung zerbricht. Sein Dämon ist seine Tochter Ronwen. Als Priesterin der Satansmesse bestärkt sie die dunklen Triebe des Vaters als Inkarnation des Bösen.

Das Kind Merlin bildet den Gegenpol. Das lichte Erbe der Mutter Dahût macht ihn zum Feind der Höllengeister, die ihren Plan durchkreuzt sehen, mit dem Satans-Sohn als Antichristen zur Weltmacht aufzusteigen: „Im Dienste des Guten steht die Zaubermacht nun, die ich erbte vom uralt Schlechten", so spricht Merlin und besiegt mit seiner weißen Magie die schwarze Teufelskunst Ronwens. Mit ihr fällt Vortigern.

Abb. 3   Lucifer und Dahüt, Dresden, Bruno Decarli; Marion Regler, p. 43.

Abb. 1 u. 2   Uraufführung *Lucifer*, Dresden 1925, Theaterzettel und Szenenphoto, p. 43.

Wie in *Lucifer* triumphiert das Gute. Die Nachtstückstimmung verwandelt sich in Morgenhelle. Das Kind Merlin ruft den Knaben Uter zum rechtmäßigen König aus (*Vortigern* p. 165, *Uter Pendragon*, p. 194). Es sind nicht nur die Motive — man wird an Verdis Rigoletto erinnert, in seiner Mantel - und Degenstück-Atmosphäre und an Mozarts *Don Giovanni* in der Erscheinung des steinernen Gastes — derentwegen man *Vortigern* mit dem Gedanken eines Opernlibrettos betrachtet. „Es liegt eine große dramatische Wucht und Kraft . . . in dem gewaltigen *Vortigern*", denn das Stück ist wirksames Theater, ein geeignetes Textbuch für eine romantische „opera seria".[4]

König Uter hat das Böse, den Drachen besiegt. Sein Ruf als Drachentöter, *Uter Pendragon*, reicht weit. Sein Land blüht auf. Da verfällt Uter in sündige Liebe zu Ygraine, der Gattin seines Vasallen Gymerth. Die Teufelsgeister in Merlin gewinnen die Oberhand, und er überläßt dem König seine Zaubermittel, damit Uter sich in Gymerth verwandeln kann, um sich Ygraine zu nahen, wie einst Zeus in der Gestalt des Amphitryon dessen Gemahlin Alkmene:

Ich bin des Teufels Kind . . .

Mein Segen wird Fluch! Immerdar, wenn ich Gutes erstrebe,
Gärt Böses in mir, gärt sich klar wie der Wein in der Rebe.
Die Lichtwege, die ich bahne, sind dunkle Schächte,
Ich schwinge des Kreuzes Fahne und tue das Schlechte!
(Uter Pendragon, p. 230)

Als Ygraine erfährt, daß in eben dieser Liebesnacht ihr Mann fern von ihr in der Schlacht den Tod fand, fürchtet sie, ein Kind von einem Gespenst empfangen zu haben. Uter vermählt sich mit ihr, nimmt aber die Angst nicht von ihr, weil er glaubt, durch sein Geständnis ihrer Liebe verlustig zu gehen. Merlin bestraft ihn für diese Schwäche. Da Uter nur an sein eigenes Ich denkt, nimmt Merlin gerade dieses Ich von ihm; daher der ursprüngliche Titel *Das verlorene Ich*. Zum aussätzigen Bettler Yack geworden, erkennt ihn niemand als König, bis Uter selbst an sich zu zweifeln beginnt und in tiefe Gewissensqualen versinkt wie sein Vorgänger auf dem Thron, Vortigern. Nun wird Uter von Merlin erlöst. Ygraine vergibt dem Geliebten, von Merlin aufgeklärt, und Uter stirbt entsühnt.

Zwar erlebte Stucken 1925 mit *Lucifer* noch einmal die Uraufführung eines Gralsdramas. Aber wie vor dem ersten Weltkrieg durch den Naturalismus entmutigt, war er es danach durch den Expressionismus, der die Theater beherrschte. Stucken beschloß darum, den Zyklus in der geplanten Form auszuführen, und drängte in *Zauberer Merlin,* dem zeitlich letzten Gralsdrama, den Geschehensverlauf zusammen. Er sucht die Handlungsstränge zu verknüpfen, die dem Zyklus zugrunde liegen, die Artus- und Gralsmotive, die Merlin- und Lucifer-Legende. Dadurch wird das Werk handlungsmäßig und ideenmäßig kompliziert und blieb trotz sprachlicher Schönheiten unaufgeführt.

Noch einmal fungiert der Zauberer als Königsmacher. Wie Merlin in *Vortigern* die Hindernisse für Uter aus dem Weg räumte, tut er dies jetzt für dessen Sohn. Wieder vertraut er das Land einem Knaben an, neuen Beginn erhoffend. Da diesmal der Knabe Artus heißt, scheint das Vertrauen begründet.

Von Geoffrey von Monmouth an, der ihn in seiner *Vita Merlini* im zwölften Jahrhundert in die Literatur einführt, wissen alle Dichter, wie glänzend sich der weise Magier mystischer Herkunft als Ideenträger eignet, so auch für Stucken. Obwohl nur in der ersten Hälfte des Zyklus Merlin in persona in Erscheinung tritt, bleibt er allgegenwärtig und wirkt durch Artus, der in der zweiten Hälfte sein Sprachrohr ist, noch zumindest mittelbar, die Schicksale der Ritter der Tafelrunde manipulierend.

Artus, König der Tafelrunde, wird zum ruhenden Pol; Artusritter sind die Helden der weiteren Dramen des Zyklus. Und doch wird König Artus den Traum der Menschheit von einem zweiten Paradies auf Erden nicht verwirklichen, da auch er sich in Sünde verstrickt, wie vor ihm Vortigern, Uter, selbst Merlin — wenn auch nur in die Sünde des Gewährenlassens gegenüber seiner Gemahlin Ginover und seinem Freunde Lanzelot. Am Ende des letzten Gralsdramas wird auf das Kind Galahad verwiesen. Wird sich die Erwartung durch Galahad erfüllen?

Eine der zahlreichen Deutungen für den Ursprung des Grals ist seine Herkunft aus der Krone Lucifers; bei seinem Sturz aus dem Himmel in den Abgrund wurde ein Smaragd aus seiner Krone gebrochen. Mit seinem grünen Schimmer wird dieser Stein des gefallenen Engels zum Gral der Gnade. Auf dieser Überlieferung baut Stucken in seinem Vorspiel seinen Schuld- und Erlösungsmythos auf. In der Krone des zum Höllenfürsten verdammten ehemaligen Lichtengels Lucifer glüht auch ein Rubin, aus dem die Geister der Finsternis einen Gegengral schmieden wollen, der mit seinem heißen Feuer des Hasses das milde Licht der Gnade verzehren soll.

Zur Sühne für diesen Frevel ernennt Gott die Aufsässigen zu Templeisen, zu Hütern des echten Grals, dem sie in ohnmächtigem Zorn dienen müssen, wie ihr König Anfortas, der sein Amt ebenfalls zur Strafe dafür erhielt, daß er als Lucifer einen Gegenheiland zeugen wollte, um die Macht des Guten zu vernichten. Merlin allein weiß um die Zusammenhänge, die er dem zuerst ungläubigen Anfortas enthüllt, um ihn davor zu warnen, daß durch das wüste Treiben des Gralskönigs und seiner Ritter die Gralswelt selber in Gefahr steht, von Gott vernichtet zu werden, wie Vortigerns Macht und Pracht. Durch Liebe bewegt Merlin seinen Vater Lucifer-Anfortas zur Einkehr:

Ich werde dich lieben,
Weil du, Vater, unselig bist und krank im Gemüte —
Wie ich, wie ich! Und ist, — was Gott verhüte, —
Dein Schicksal nicht abzuwenden, kein Balsam für Wunden, —
So soll auch mein Schicksal enden, an deines gebunden!
(Zauberer Merlin, p. 320)

Merlins Warnen war vergebens. Dem Bösen verfallen, stürzt die Gralswelt zusammen, und Merlin steht wiederum vor Trümmern. Der stärkste Wille des Individuums kann das Schicksal nicht zwingen.

Selbst als Lehrer erlebt Merlin Enttäuschungen. Er hofft, sich die älteste Tochter Ygraines aus der Ehe mit Gymerth zur Adeptin erziehen zu können. Doch das Mädchen stellt all ihre erlernten Zauberkünste in den Dienst der schwarzen Magie wie Ronwen, Vortigerns Tochter. Als berühmt-berüchtigte *Morgane la Fée* der *Artuslegende* verführt und vernichtet sie so manchen Gralsritter.

Abb. 4   Dekorationsentwurf zu *Gawan*, Grüne Kapelle, 5. Akt; Versenkte Särge, hohle Meiler, aus denen Stimmen tönen, Landestheater Darmstadt, p. 47.

Merlin fühlt sich seinem selbstgesteckten hohen Ziel nicht gewachsen, „Ich will den Menschen ins All, in die Höhen führen" (*Zauberer Merlin,* p. 246). Nachdem er das Sinnbild des runden Tisches als Symbol des Rechtes der Gleichberechtigung in der Artuswelt geschaffen, setzt er den König Artus als seinen Nachfolger ein, Heger und Kämpfer des Rechts zu sein. Dann läßt er sich von der schönen Teichmaid Viviane umgarnen. Bewußt, daß sie der Verlockung nicht widerstehen wird, verrät er ihr, wie sie ihn und sich in einen traumseligen Dornröschenschlaf versenken kann. Wird er je zurückkehren, wenn das Artusreich seiner Hilfe bedarf? Nur

der Glanz des Grals selber bleibt ungebrochen, allein wie lange wird dieser Gnadenglanz erhalten bleiben? Wird auch er erlöschen? Dann bricht die ewige Nacht an. Als Hoffnungsschimmer bleibt einzig die verkündete Geburt des Lichtkindes Galahad, Sohn der reinen Elaine, der Tochter des Gralskönigs, die sich für den sündigen Geliebten Lanzelot opfert.

Die handlungsmäßig auf *Zauberer Merlin* folgenden Dramen haben Ritter der Tafelrunde zu Protagonisten, die zum Gral zur Entsühnung ziehen, Lanval, Tristram, Lanzelot. Der Triebgewalt verfallen, sind sie sich ihrer Schuld be-

Abb. 5   Bühnenanleitung zur Enthauptung des Grünen Ritters, Gawan, 1. Akt, Nationaltheater Mannheim. (Aus Ludwig
Devrient, *Geschichte der deutschen Schauspielkunst*, Berlin und Zürich: Eigenbrödler Verlag, 1929), p. 47.

wußt, da sie aber ihre Sünden nicht wirklich bereuen, versagt
sich ihnen der Gral. Sein Gnadenlicht erstrahlt einzig dem
Reinen, und das ist von allen Gralsrittern nur Gawan.

Der Schein des großen Theaters zog das vom Hinterhaus-
milieu ermüdete Theaterpublikum nach der Jahrhundertwende in den Bannkreis des Bühnenmagiers Max Reinhardt,
der Spektakel auf die Bretter brachte, in denen „Prospekte
nicht und nicht Maschinen" gespart wurden, und der darum
für Stuckens Gralsdramen, deren Inszenierung alle bühnen-
technischen Register (Abb. 4, 5 u. 8) verlangte, den rechten
Boden bereiten konnte. In seinem Rechtfertigungsbrief an
die NS-Regierung vom 16. Juni 1933 aus dem Oxforder Exil

erwähnt Reinhardt auch den Namen Stucken unter den
Dichtern, die er erfolgreich dem Publikum vorstellte, wo-
durch er „zum Mindesten für seine Zeit den Begriff Deutsches Theater über allen Tagesstreit hinaus erfüllt habe."

Uter Pendragon und *Zauberer Merlin* hätten mit ihrer
Fülle sprechender ‚Bilder', an die Helena-Erscheinung in
Goethes *Faust* erinnernd, mit den zur Verfügung stehenden
Mitteln selbst dem damaligen Bühnenzauberer Reinhardt
Schwierigkeiten bereitet. Die moderne Verwendung von
Filmblenden und psychedelischen Lichteffekten würde da-
gegen einer heutigen Aufführung auf der Sprechbühne ent-
gegenkommen. Zwar wurde *Gawan* als erstes Gralsdrama
Stuckens in München uraufgeführt, doch Reinhardt verhalf
Gawan und Stucken auf den Berliner Bühnen zum Erfolg
(Abb. 6 u. 7). Wirklich entdeckt für Berlin wurde Stucken
von dem bereits erwähnten Eduard von Winterstein.

Gawan zierte nicht nur als ritterliches Muster die Tafelrunde. Er stand dem kinderlosen König als Neffe nahe. Neben Morgane la Fée, der Erzfeindin Camelots, hatte Ygraine
in erster Ehe noch eine Tochter geboren. Sangive, ‚ohne
Arg'. Außer dem Marienstreiter Gawan und dem rauhbeini-
gen Agravain à la dure main, ‚mit der harten Hand', hatte
Sangive eine Tochter Lionors. Das Mädchen Lionors liebte
den Ritter Lanval, einen düsteren Sinnierer, der sich eher
zum Begleiter Hamlets als zum Gast am lebensfrohen Artus-
hof zu eignen schien. „Sein Reich ist nicht diese Welt; nach
der Insel der Seligkeit lechzt seine Seele, er sucht das Glück,
wo es wunschlos und unzerstörbar ist."[5]

Sehnsucht nach Avelun, dem Ort der Seligkeit der kelti-
schen Sage, durchzieht das Gralsepos. In *Lanval* wird es zum
Leitmotiv. Auf Agravains Frage, wohin ihn die Schwester
rudere, antwortet Lionors: „Nach der Insel der Seligkeit.
Nach den ewig smaragdenen Küsten von Avelun" (*Lanval*,
p. 405). Entsprechend der Doppeldeutigkeit vom Schloß
Hautdesert in *Gawan* als Ort der Versuchung und Ort des
Todes, ist Avelun Land nimmer endender Liebesfreude und
zugleich Land des Todes. An die Toteninsel Avallonia der
Antike, „wo Weh nicht ist noch Weinen" (*Lanval*, p. 431),
erinnern die Worte der Schwanenjungfrau Finngula, als sie
ihre Brüder tröstet:

Auch wir werden ruhn,
Wir finden Frieden ja dereinst in Avelun.
(*Lanval*, p. 421)

Lanval lebt nicht in der Wirklichkeit, und darum findet er
auch Zugang zur Welt übernatürlicher Wesen, verwunschener
Schwanenkinder.

Uralt ist die Tiersymbolik der Schwanensagen. Schon
Zeus nahte sich Leda in Gestalt eines Schwans, um das
Schicksal zu besiegen, dem auch die griechischen Götter un-
terlagen. Leda war Dienerin der Nemesis, der Schicksalsgöt-
tin. Bei Stucken wird das Schwanenmädchen Finngula dem
Ritter Lanval zum Schicksal. Bei Homer, bei Ovid bringen in

Abb. 6   Friedrich Kayßler als Gawan, Kammerspiele, Berlin 30. 3. 1910, p. 47.

Abb. 7   Leopoldine Konstantin als Marie in *Gawan*, Berlin 1910, p. 47.

Schwäne verwandelte Mädchen den Tod des Helden herbei, in der germanischen Mythologie tragen die todverkündenden Walküren Schwanengefieder. Aus Stuckens Hauptquelle, dem *Lai de Lanvâl*, macht Paul Ernst zwei Jahre nach Stucken „ein heiter Spiel". Aber für Stucken war das Happy-End des altfranzösischen Epos der Marie de France nicht akzeptabel.

Die Geliebte aus dem Jenseits muß Lanval den Tod bereiten, damit sie sich mit ihm in den seligen Gefilden Aveluns auf ewig vereinen kann. So entnimmt Stucken den Ausgang seines Dramas der deutschen Geschlechtersage des Egenolf von Staufenberg. Dort bringt die Schwanenjungfrau ihrem Geliebten den Tod, als der Ritter seine Geistermaid vor aller Augen verleugnet, gleich den Rittergestalten der Undinen- und Melusinenmärchen. Weder die opferbereite Liebe der

Prinzessin Lionors noch das verstehende Verzeihen des Königs Artus kann Lanval retten. Das Schicksal fordert ihn heraus in der Erscheinung eines schwarzen Ritters mit geschlossenem Visier. Lanval nimmt den Fehdehandschuh auf. Im Duell durchbohrt er den schwarzen Ritter. Zu spät erkennt er, daß seine Schwanengeliebte Finngula in der Rüstung steckt. Nur der Liebestod kann beiden Erlösung bringen. Nur Lionors bleibt unter den Lebenden zurück. Ihr Opfer wurde nicht angenommen.

Von der Kritik gelobt und verdammt, ging *Lanval* ein Vierteljahrhundert über die Bühnen. Über die Uraufführung im Burgtheater Wien schreibt Ludwig Klinenberger 1911: Stuckens „Stern ist jetzt erst aufgeflammt, und Reinhardt hat dem Burgtheater den Rang abgelaufen, zwei Werke Stuckens, *Gawan* und *Lanzelot*, in den Kammerspielen früher

48

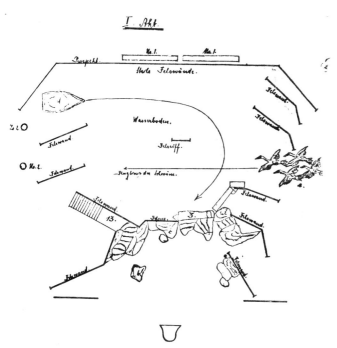

Abb. 9   Lanval in Schloß Camelot bei König Artus, *Lanval*, 3. Akt, Burgtheater, Wien 1911, p. 47.

Abb. 8   Dekorationsplan zu *Lanval*, 1. Akt: Wasserboden, fliegende Schwäne, gleitendes Boot; Burgtheater, Wien, p. 47.

aufzuführen (Abb. 13). Der Wiener Hofbühne blieb die Uraufführung des Dramas *Lanval* (Abb. 8, 9 u. 10) vorbehalten. . . Stucken ist uns lieb geworden trotz der Schwächen seines *Lanval*. Wer so die Sprache meistert, wer ihr so viel volltönende Musik abgewinnen kann, aus ihr eine Fülle kaum geahnter Schönheiten zaubert, der ist ein großer Künstler."[6] Das Stück erlebte seine letzte Aufführung im Todesjahr Stuckens 1936 in Hamburg, „und man darf sagen, in einer sehr beachtlichen und fesselnden Form. Wenn auch die seltsamen Ordenssitten der Tafelrunde des weisen Königs Artus, der der Dichter einen großen Teil seines Schaffens gewidmet hat, in ihrer poetischen Verbrämung ziemlich kalt lassen, so schwingt doch in diesen, manchmal gewagten Versen ein Ton von märchenhafter Mystik mit, der auch diese Darstellung erlebenswert machte."

Mysterium des Eros und der Erlösung gleich Lanval ist auch das folgende Gralsdrama des Zyklus, *Tristram und Ysolt*. Auf den allgemein bekannten Stoff braucht nicht eigens eingegangen zu werden. Über dessen Behandlung bei Stucken sagt Joseph Gregor: „Von den Grals-Dramen des Dichters, die ihren Stoff dem Sagenkreis des Königs Artus entnehmen, ist dies zweifellos eines der schönsten. Die mit allem Zauber der Romantik erfüllte Handlung bringt etliche ganz neue Motive in die vielbeliebte und oft abgewandelte Liebestragödie."[7] Ein neues Motiv Stuckens ist vor allem der Seelenkampf König Markes, ja, daß Stucken das Werk als Seelendrama Markes betrachtete, geht daraus hervor, daß Stucken die Szene vor der Höhle, in der Marke seine Gattin

Abb. 10   Der Ritter Agravain, Bruder der von Lanval verschmähten Prinzessin Lionors, ersticht den Ritter Lanval. *Lanval*, 4. Akt, Burgtheater, Wien 1911, p. 47.

Ysolt schlafend in den Armen seines Neffen und Freundes Tristram entdeckte, auf einem Dichterabend 1917 in Berlin vorlas. Marke sind die letzten Worte des Stückes in den Mund gelegt: „Tristram, ich liebte dich! O wie bin ich verwaist!" (*Tristram und Ysolt*, p. 598).

Stuckens Bearbeitung des Tristan-Stoffes wird zur Tragödie der verratenen Freundschaft aus erotischer Verstrickung, einer der Hauptkomponenten des in der Handlungsfolge letzten Gralsdramas *Lanzelot*, wo König Artus die Schlußworte des gesamten Zyklus gegeben sind, in ihrem Tenor an die letzten Worte König Markes in *Tristram und Ysolt* gemahnend. Zum scheidenden Lanzelot, dem besten Freund, der ihn verraten mit seiner geliebten Gattin Ginover, sagt König Artus:

Abb. 11   Else Wohlgemuth als Königin Ginover, *Lanval,* Burgtheater Wien 1911.

Abb. 12   Friedrich Kayssler als Lanzelot, *Lanzelot,* Kammerspiele 1911, Berlin.

Ich begreife. Das Herz ist mir wund. Verwaist steh ich da.
Nicht mehr hindern kann ich's — nur beklagen. Gott gebe dir Kraft
Den schweren Kummer zu tragen auf der Pilgerschaft.
(Lanzelot, p. 683)

Wie in anderen Werken Stuckens erstrahlt auch am Ende des Gralsepos die Toleranzidee in den Worten des Königs Artus: ,,Wer alles vernimmt, wird meist auch alles vergeben . . . wo höhere Mächte ihr Spiel mit uns treiben, verblaßt alle Schuld" (*Lanzelot,* p. 671). ,,Die Tragödie *Lanzelot* behandelt die ehebrecherische Liebe zwischen Held Lanzelot und Artus' Gemahlin Ginover (Abb. 11 u. 12). Jung vermählt, fast ein Kind noch, schlich die Königin — eine Tochter der Nacht — in seine Kammer, ihn zu kosen, und er erlag der lockenden Verführung."[8] Wieder, wie in *Lanval,* findet der sündige Mann eine reine Jungfrau, die sich ihm als Sühne-

opfer darbietet. Der Ritter Lanval bleibt ein der Sünde verfallener Tannhäuser bis zum Ende. Er folgt seiner Venus ins Nirwana des Todes und des Vergessens, und seine Elisabeth-Lionors kann ihn nicht erlösen, weil er nicht erlöst werden will. Lanzelot dagegen wird — fast wider Willen — erlöst durch Elaine, Tochter des Anfortas. Elaine liebt Lanzelot und gibt sich ihm hin im Dunkel der Nacht, während Lanzelot glaubt, seine ehebrecherische Ginover in den Armen zu halten. Elaine vollzieht diese Handlung im Vertrauen auf eine Prophezeiung Merlins, wonach der durch das sündhafte Treiben der Gralshüter erloschene Gral nur dann wieder aufleuchten wird, um seinen Gnadenschimmer über den schuldbeladenen Templeisen und auch über dem schuldbeladenen Lanzelot rettend erstrahlen zu lassen, wenn sich ein Mädchen aus dem Geschlecht des Gralskönigs mit dem ruhmreichsten Ritter der Tafelrunde verbindet:

50

Und ein Kind in den Armen hält, an dem Bosheit zerprallt
Und um das alles Gute der Welt sich wie Wasser kristallt.
(Lanzelot, p. 607)

Wir sehen, wie Stucken den Gedanken der Wiedererneue-
rung durch die Wiedergeburt weiterspinnt als Leitmotiv für
den ganzen Zyklus. In *Vortigern* soll die Geburt Uters die
Welt von der Tyrannei erlösen. In *Uter Pendragon* soll die
Geburt von Artus die Welt von der Sünde befreien. Dies sind
die Symbole der Mitte des Zyklus. Am Anfang steht die
Geburt Merlins, Kind Lucifers, des gefallenen Lichtengels,
der in seinem Sohn einen Antagonisten des Guten in die
Welt zu setzen hoffte. Das Element des Guten in Merlin,
Erbe seiner reinen Mutter Dahüt, wirkt Lucifers Bestreben
zwar entgegen, doch der innere Zwiespalt lähmt Merlin. Er
fühlt sich der Aufgabe des Retters nicht gewachsen und re-
signiert. Freiwillig läßt er sich von seiner Geliebten einfangen
und dämmert mit ihr hinüber in ein Liebesnirwana. Gott
bestraft seinen Widersacher Lucifer, indem er ihn als Anfortas zum Hüter des Grals, der Gnade, bestimmt. Doch Gut
und Böse stehen sich feindlich in Lucifer gegenüber, wie
noch viel stärker in Merlin! Eine synkretistische Hoffnung
kann nur in die Zukunft projiziert werden: Nur in der Zukunft kann sich der Antagonismus von Gut und Böse durch
die Wiedervereinigung der Urelemente der Urgottheit selber
erlösen.

In seinem letzten Gralsdrama *Lanzelot* arbeitet Stucken
die Grundidee seines Gralsepos besonders prägnant heraus.
Der Abfall Lucifers manifestiert die Trennung von Gut und
Böse: „Das Gute und Böse ist seit Urbeginn schon in der
Tiefe Gottes gewesen" (*Lucifer*, p. 50). Die Gegenkräfte wirken in Merlin: „Ich war Ormuzd und Ahriman, böse und
gut" (*Vortigern*, p. 75), und so gelingt es dem Teufelssohn
nicht, den Dualismus aus der Welt zu schaffen. Doch die
synkretistische Hoffnung wird schon im ersten Gralsdrama
Lucifer prophezeit. Sie konzentriert sich auf den ungebore-
nen Enkel, wenn

. . . ein drittes Alter beginnt und sich ewig erstreckt,
Wenn dein Enkel, der Liebe Kind, das Morgenrot weckt.
(Lucifer, p. 50)

Am Schluß von *Lanzelot*, dem letzten Gralsdrama, wird
die Geburt dieses Kindes als frohe Botschaft verkündet, der
Sohn, den Elaine gebar,

. . . Galahad der Held . . . vorlängst prophezeit,
Der, wenn er heranwuchs die Welt und den Gral befreit
Und das dritte Gesetz bringt, den dritten Zeitlauf beginnt. —
Nicht umsonst hat die Mutter gelitten, es lebt das Kind.
(Lanzelot, p. 680)

Abb. 13   Theaterzettel, Deutsches Theater, Kammerspiele 1911.

Wir sahen im ersten Kapitel, daß Stuckens zeitlich frühestes Gralsdrama *Gawan* auch sein erfolgreichstes Bühnenwerk wurde und bei der Betrachtung des Zyklus in den vorigen Kapiteln, daß fünf der acht Gralsdramen zur Aufführung gelangten. Wenn auch spät, gingen außer *Yrsa* alle Einzeldramen Stuckens über die Bretter, von der frühen Ballade *Wisegard* zur nachgelassenen Komödie *Der irrende, wirrende Liebesbrief*. Daten und Orte der Uraufführung der Stucken-Dramen folgen hier:

1905	*Wisegard*	München
1907	*Gawan*	München, Hoftheater
1909	*Die Gesellschaft des Abbé Châteauneuf*	Düsseldorf, Schauspielhaus
1911	*Lanzelot*	Berlin, Kammerspiele
1911	*Lanval*	Berlin, Kammerspiele
1913	*Astrid*	Berlin, Deutsches Theater
1915	*Die Hochzeit Adrian Brouwers*	Hamburg, Deutsches Schauspielhaus
1916	*Tristram und Ysolt*	Hamburg, Deutsches Schauspielhaus
1920	*Myrrha*	Berlin, Trianon Theater
1925	*Lucifer*	Dresden, Staatstheater
1925	*Die Flamme*	Hamburg, Deutsches Schauspielhaus
1926	*Die Opferung des Gefangenen*	Köln
1937	*Der irrende, wirrende Liebesbrief*	München, Residenztheater

Alle Städte, die Stuckens Lebensstationen kennzeichnen, feierten ihn als Theaterdichter:

Moskau (Geburt und Kindheit): *Die Hochzeit Adrian Brouwers*

Dresden (Jugendjahre): *Lucifer*, Uraufführung in Anwesenheit des Dichters

Bremen (Eintritt in das Berufsleben und erste literarische Versuche): *Die Gesellschaft des Abbé Châteauneuf*

Vor allem aber steht Berlin im Brennpunkt, die Stadt seines Lebens:

1910	*Gawan*
1911	*Lanzelot*
1911	*Lanval*
1913	*Astrid*
1920	*Myrrha*
1921	*Die Gesellschaft des Abbé Châteauneuf*
1922	*Die Hochzeit Adrian Brouwers.*

Während *Astrid* als Einzeldrama seine Uraufführung in Berlin erlebte, kam *Die Gesellschaft des Abbé Châteauneuf* erst auf dem Umweg über Düsseldorf und Karlsruhe (Abb. 1) dort über ein Jahrzehnt später im Trianon Theater heraus.

Abb. 1 *Die Gesellschaft des Abbé Châteauneuf*, Theaterzettel, Karlsruhe 1917, p. 52.

Die Tragikomödie hat das Frankreich des Kardinals Richelieu zum Schauplatz und behandelt eine Episode aus dem Leben der berühmt berüchtigten Kurtisane Ninon de L'Enclos. Ein junger Chevalier verliebt sich in die bereits im reifen Alter stehende Ninon. Als sich herausstellt, daß sie seine Mutter ist, die den Knaben als Kind leichtfertig von sich gab, erschießt sich der Chevalier de Villiers.

Der historische Abbé Châteauneuf versucht, dem Phänomen Ninon durch eine Analyse der Liebestheorie beizukommen: „Elle ne considérait l'amour que comme un besoin de sens, auquel la nature n'a attaché le plaisir que pour ôter la volonté de s'y soustraire."[1] Stucken vermittelt uns eine weniger zynische Vorstellung von ‚Notre Dame des Amours‘[2], die von der Natur großzügig mit körperlichen und geistigen, ja selbst mit charakterlichen Vorzügen ausgestattet worden war, ein Alter von neunzig Jahren erreichte und noch hochbetagt alle Welt, Männer und Frauen, mit ihrem unverwelklichen Charme zu fesseln verstand. Stuckens Philosophin des

Stuckens erfolgreiches Schauspiel „Die Gesellschaft des Abbé Châteauneuf" im Trianon-Theater. Die große Tischszene, von links nach rechts: *Weber* (Baron de la Garde), *Burg* (Francoise), *Mamelock* (Chevalier Grammont), *Rehberger* (Crequi), *Grüning* (Marschallin), *Berger* (Wirt), *Vallentin* (Abbé), *Konstantin* (Ninon), *Falkenstein* (Scarron); Vorn: *Brockmann* (Villiers).

Abb. 2   *Die Gesellschaft des Abbé Châteauneuf,* Szenenbild, Berlin 1921, p. 53.

Eros zeigt Geist und Witz, und dem Verstand gesellt sich das Herz. Der Abbé wendet sich an sie: „Ich würde Sie bitten, weniger Geist und mehr Herz zu haben, wüßt' ich nicht, daß sich Ihr Geist und Ihr Herz die Waage halten" (p. 21).

Schon bevor der junge Chevalier weiß, daß seine Angebetete auch seine Mutter ist, ist er der lockenden Melodie des Todes verfallen: „Sterben möchte ich! Sterben! Sterben!" (p. 53). Die morbide Todesekstase erlaubt Stucken nur dem exaltierten Jüngling, auf dessen Gefühlsskala Liebe und Tod nahe beieinander liegen, und für den der Schritt in den Abgrund des Todes oder des Wahnsinns ein kleiner ist. Die beiden anderen bekannten zeitgenössischen Bearbeitungen des Ninon-Stoffes sind eben das, zeitgenössisch: Ernst Hardt neuromantisch, Paul Ernst sexualphilosophisch. Stucken dagegen stellt in kühler Prosa ein Kabinettstück des ancien régime vor, das selbst ihm sonst feindlich gesinnte Kritiker wie Friedrich Engel loben[3] (Abb. 2).

Wolfgang Goetz berichtet, daß Stucken vor Beginn eines jeden Werkes gründliches Quellenstudium betrieb. Mit hingebungsvoller Liebe zum Detail umreißt er in diesem Einakter eine Fülle eindrucksvoller Typen, vom Perückenmacher Baupré, der aus seiner Perspektive, in der sich die Kahlheit der Gesellschaft entblößt, zu der Überzeugung gelangt, „aber Ninon ist eben so eine, die nicht so eine ist" (p. 13), bis zu dem lahmen Dichter Paul Scarron, der nicht nur darin an Heine erinnert, daß er in seiner transportablen Matratzengruft auf die Bühne getragen wird.

Scarron: „Guten Abend, guten Abend, liebe Freunde! Ihr werdet's heute machen, wie die alten Ägypter: die setzten bei Gastmählern eine Leiche mit an den Tisch und pokulierten mit ihr. So eine Leiche erinnert hübsch an die Vergänglichkeit und macht das Essen schmackhafter — hahaha — und auch die Liebe — hahaha! Raffinierte Epikuräer die Ägypter — lange vor Epikur! Ja, so eine Leiche ist Euch ein nützliches Möbelstück! Sie ermuntert, sich daran zu halten, und verschönert das Leben!"

Françoise: „Ich bitte Dich, Paul, lache nicht so. Du weißt, der Arzt hat es Dir verboten."

Scarron: „Aus Neid — weil er selbst nicht zu lachen versteht, Hansnarr! Hat Anatomie studiert und weiß nicht, daß jeder

Der grosse Erfolg des Trianon - Theaters: „Myrrha".
Hugo Flink als Professor Bezzenberger
Neuck phot.

Der grosse Erfolg des Trianon - Theaters: „Myrrha".
Lia Rosen als Myrrha
Eberth phot.

Der grosse Erfolg des Trianon - Theaters: „Myrrha".
Paul Biensfeldt als Dr. Horst Leuckhardt

Der grosse Erfolg des Trianon-Theaters: »Myrrha«

Das Trianon-Theater hat mit dem Schauspiel „Myrrha" von Eduard Stucken einen grossen Erfolg errungen. Berlin wird sich „Myrrha" mit Ida Wüst in der Hauptrolle ansehen müssen. Eduard Stucken, der bedeutende Dichter, hat mit seiner „Myrrha" ein Bühnenwerk von hohem künstlerischen Wert geschaffen. Ein überaus interessanter Inhalt, eine wundervolle Dialogführung, straffer dramatischer Aufbau und Lebensechtheit der

ihrer Persönlichkeit. Lia Rosen als Myrrha ist eine rührende Gestalt von zartester Empfindung. Paul Biensfeldt spielt den Doktor Horst Leuckhardt mit der ihm eigenen ergreifenden Menschlichkeit. Emil Mamelok

Der grosse Erfolg des Trianon-Theaters: „Myrrha".
Oertel phot.
Käthe Dorsch als Emmy v. Gersdorf

Der grosse Erfolg des Trianon-Theaters: „Myrrha".
Ida Wüst als Sabine Dwerhagen

Der grosse Erfolg des Trianon-Theaters: „Myrrha".
Emil Mamelok als Anselm Dwerhagen

gestaltet den komplizierten Charakter des Anselm Dwerhagen mit erstaunlicher Treffsicherheit und bietet eine lebenswahre Leistung. Hugo Flink, sehr interessant wie immer, vervollständigt das hervorragende Ensemble.

Charaktere sind die Vorzüge des wirkungsvollen Stückes. Sabine Dwerhagen ist aus einem Sanatorium in das Haus ihres Mannes zurückgekehrt. Sie ist gesundet, weil sie die Trennung von ihrem Mann nicht länger aushalten konnte, das Weib in ihr verlangt nach seinem natürlichen Recht. In ihrer Abwesenheit ist ihr der Gatte untreu geworden. Ihre Cousine Emmy v. Gersdorf ist seine Geliebte. Myrrha, Sabines 14jährige Tochter, die mit Kinderinstinkt das Liebesverhältnis des Vaters gemerkt hat, enthüllt der Mutter das Geheimnis. Sabine nimmt den Kampf mit der Nebenbuhlerin auf und versucht, den Mann wieder zu erobern.

Die Wüst als Sabine ist das grösste Erlebnis dieser Spielzeit. Die Künstlerin, als Meisterin ihres Faches anerkannt, hat sich mit dieser neuen Rolle einen besonderen Ehrenplatz in der deutschen Schauspielkunst errungen. Käthe Dorsch gibt der Emmy ihre grosse Kunst und die Anmut

Szene aus dem 3. Akt „Myrrha" im Trianon-Theater.
Ida Wüst als Sabine und Emil Mamelok als Anselm Dwerhagen
Rosenberger phot.

Szene aus dem 2. Akt „Myrrha" im Trianon-Theater.
Ida Wüst als Sabine und Paul Biensfeldt als Dr. Leuckhardt
Rosenberger phot.

Abb. 3
Myrrha mit
Lia Rosen,
Ida Wüst,
Käte Dorsch,
Emil Mamelok,
Paul Biensfeld,
Hugo Flink,
Lucie Arold.
Trianon-Theater,
Berlin 1920, p. 55.

Totenschädel grinst! Aber wir Toten wissen, was wir vom Leben zu halten haben. Uns sind die Schuppen von den Augen gefallen — puh — darum lachen wir über die Komödie" (p. 31).

Daß sich der bildungsinformatorische Stucken auch die allergeringste Anspielung versagt, daß die junge Gattin Françoise des todkranken alten Zynikers Scarron später als Frau von Maintenon die morganatische Gattin des alternden Sonnenkönigs wurde, muß man lobend anmerken.

Entstehungsgeschichtlich folgt auf das Ninon-Drama Stuckens einziges Gegenwartsstück *Myrrha*, eine psychologische Problemstudie im Banne Ibsens. Die männliche Hauptfigur Anselm Dwerhagen ist nicht nur ein schwankender Mann zwischen zwei Frauen wie Lanval oder Lanzelot. Auch als Erfindertyp wirkt er zwielichtig. Sein nüchterner Bruder tut die ‚Aeronautenspielerei' als fixe Idee ab. Aber steckt hinter dem Flugexperiment wirklich eine Fehlspekulation? Stucken stellt uns die Tragödie des Erfinders vor. Er zerschellt an den äußeren Umständen, und wir wissen nicht, ob er ein Selbstbetrüger ist wie Ibsens Hjalmar Ekdahl in der *Wildente* oder ein Genie — oder beides? An das Ibsen-Stück erinnert auch Anselms Tochter Myrrha, nach der Stuckens Werk benannt ist. Wie die Hedwig der *Wildente* begeht sie Selbstmord in der Opferbereitschaftsneurose der Pubertätskrise.

Als positivistischer Pragmatiker fühlt sich Anselm Dwerhagen als Märtyrer des Fortschritts und vergleicht sich mit Prometheus. Seine Geliebte Emmy fragt ihn bang, als Anselm die Aufdeckung eines betrügerischen Bankrotts droht:
Emmy: „Wenn du zusammenbrichst, wenn die Sache vor Gericht kommt!"
Anselm: „Nun — und wenn? Prometheus wurde an Ketten geschmiedet, weil er den Menschen das Licht brachte."
Emmy (ihn leidenschaftlich umarmend): „Ich glaube an dich, Anselm! Ich glaube an deine Mission!" (p. 51).

Den Kontrapunkt zu seiner zukunftsgläubigen Geliebten bildet Anselms Ehefrau und Mutter Myrrhas, Sabine. Aus ihren Wahnvorstellungen — sie war längere Zeit in einer Irrenanstalt — erwächst ein furchtbares Zukunftsgespenst der Technik, das dem Menschen unserer eigenen Tage bereits zur Gegenwartsbedrohung geworden ist: „Jeder wird ein Aerodrom haben, wie jetzt fast jeder ein Fahrrad hat... Versuch' es dir doch auszumalen! In heißen Sommernächten, wenn man bei offenem Fenster schläft, weil man sonst erstickt, werden sie herangeflattert kommen, lautlos, geräuschlos, wie Eulen fliegen — kein Mädchen wird sicher sein, sie werden sie verlocken, mit Gewalt verschleppen — wie die Prinzessin im *Hölzernen Vogel* — weißt du? — Automobile visitiert man wenigstens an den Grenzen, aber für sie gibt es nicht Grenzen, — das Zeitalter der Attentate wird anbrechen, sie werden auf Häuser und Straßen Dynamit werfen und unerkannt zur Sahara fliegen, — die Staaten werden machtlos sein, — nichts ist verboten, alles ist erlaubt, wird es dann heißen. Das kommt von der Schuld des Menschen gegen die Natur" (p. 69), (Abb. 3 u. 4).

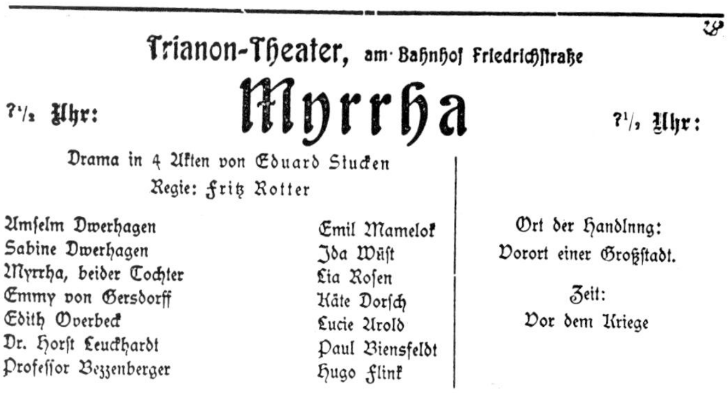

Trianon-Theater, am Bahnhof Friedrichstraße

7¹/₂ Uhr: **Myrrha**   7¹/₂ Uhr:

Drama in 4 Akten von Eduard Stucken
Regie: Fritz Rotter

Anselm Dwerhagen	Emil Mamelok	Ort der Handlung:
Sabine Dwerhagen	Ida Wüst	Vorort einer Großstadt.
Myrrha, beider Tochter	Lia Rosen	
Emmy von Gersdorff	Käte Dorsch	Zeit:
Edith Overbeck	Lucie Arold	Vor dem Kriege
Dr. Horst Leuckhardt	Paul Biensfeldt	
Professor Bezzenberger	Hugo Flink	

Abb. 4   *Myrrha*, Theaterzettel: Trianon-Theater, Berlin, 1920, p. 55.

Das guatemaltekische Tanzschauspiel *Die Opferung des Gefangenen* ist keine Eigenschöpfung Stuckens, sondern der Versuch des Mythologen und Philologen, sich in eine fremde Vorstellungswelt einzuführen. Dem Dichter Stucken gelingt dies. Die Zivilisationsmüdigkeit der Dekadenz, die auch im Werke Stuckens zum Ausdruck kommt, sucht frische Lebenssäfte in der Kunst der Primitiven, die danach im Dadaismus fröhliche Urständ feierte. So bearbeitete Georg Zivier Mitte der zwanziger Jahre, also ein Jahrzehnt nach Stucken, den gleichen indianischen Urtext für sein Drama *Xahob-Tun*, mit Musik im rudimentären Kammerklopforchester von Erwin Schulhoff.

Dem französischen Missionar Abbé Charles Etienne Brasseur (1818—74) wurde aus Dank für seine den Quiché-Indianern erwiesene Hilfsbereitschaft als einzigem Europäer das Glück zuteil, in Rabinal in Guatemala, ein altes, eigens für ihn inszeniertes Tanzspiel zu sehen. Brasseur schrieb den Text auf, und Stucken bearbeitete ihn für die deutsche Sprache. Der Komponist Egon Wellesz verwendete den Stucken-Text als Mittelstück für eine Trilogie, mit dem präkolumbianischen Indianer-Ritual als Gegenstand. Alle diese Versuche von Stucken bis Wellesz und Zivier blieben Experiment, selbst die letzte Version von E. W. Palm 1961. Und doch werden noch im heutigen Mexiko derartige Ritualtänze aufgeführt!

Für Stucken bedeutet die *Opferung* vor allem einen Schritt zu den *Weißen Göttern*. Obwohl er in seinem Roman stellenweise wörtlich aus dem Tanzschauspiel zitiert, verbirgt sich in Stuckens Roman hinter den indianischen Riten ein völlig anderer Sinn. Das Selbstbewußtsein des aztekischen Priesterkönigs Montezuma ist schon durch die Ahnungen eines nahenden Weltuntergangs erschüttert, der sich in der prophezeiten Landung der weißen Götter ankündigt. Beim Anblick des gefangenen Feindes schmilzt im Herzen des Aztekenfürsten die langersehnte Rache zu nichts. Er verzichtet auf die sonst in seinem Reiche übliche barbarische Opferung des gefangenen Feindes, der gefesselt vor ihm steht, obwohl es sich um einen Feind handelt, dem Montezuma seit Jahren

Abb. 5

Abb. 8　　　　　　　　　　　　Photo: Ullstein Bilderdienst

Abb. 6

Abb. 5 u. 6　*Die Hochzeit Adrian Brouwers,* Deutsches Schauspiel-
　　　　　　haus, Hamburg 1915; Franz Kreidemann als Adrian
　　　　　　und Szenenbild, p. 57.

Abb. 9　　　　　　　　　　　　Photo: Hans Hartz

Abb. 8 u. 9　Staatliches Schauspielhaus am Gendarmenmarkt in Ber-
　　　　　　lin, erbaut 1818—21, Architekt Karl Friedrich Schin-
　　　　　　kel. Außenansicht und Foyer. Das Theater wurde im
　　　　　　2. Weltkrieg zerstört, p. 57.

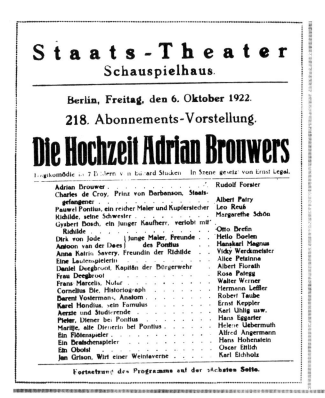

Abb. 7 *Die Hochzeit Adrian Brouwers*, Theaterzettel: Staatstheater, Schauspielhaus Berlin 1922.

hatte nachstellen lassen, da dieser seinen Lieblingssohn in der Schlacht getötet hatte. Montezuma, „der Herrscher der Welt". „öffnete die Hand und ließ die Rache fallen" (*Die weißen Götter*, I, p. 146). Die Erkenntnis von der Nichtigkeit alles menschlichen Strebens gebiert zugleich die Idee der Toleranz. Dies entspricht der Aufgipfelung des Humanitätsideals im Gralsepos von Stucken.

Der Dichter war tatsächlich beheimatet ‚in allen Zeiten und Welten'. Neben dem indianischen Ritualwerk beschäftigt den „Hüter des Grals und seiner wundervollen Mythen, Beschwörer ferner Montezuma-Zonen, Balladendichter und Träumer"[4] gleichzeitig die Gestalt des niederländischen Malers Adrian Brouwer, Zwillingsbruder des François Villon und des Cyrano de Bergerac, ein Vorfahr Verlaines. Stucken wählte diesen Vagabundentyp und Gossenmaler zum Helden seines lebensnahesten und theatralisch wirksamsten Dramas.[5]

Rebellion gegen die Konvention ist der sichtbare Anlaß Adrians, aus der Ordnung auszubrechen: „Ich leide keinen Striegel" (p. 32). Der tieferliegende Beweggrund seiner Flucht auf die Landstraße ist die Liebe zu der Patrizierin Richilde. Er will sie davor bewahren, einem Manne angetraut zu werden, dessen verbrecherische Vergangenheit in jedem Augenblick enthüllt werden kann. Adrian will das Geheimnis seiner Seele nicht offenbar werden lassen. Von Gewissensqualen überwältigt, stößt er am Hochzeitstag Richilde endgültig durch sein skandalöses Benehmen von sich: „Es war meine beste Tat, Jungfer! Homo peccator sum" (p. 140).

Hinter der Maske des Possenreißers verbirgt Adrian das Elend seiner Seele: „Mir tat ich es an! Mir, mir, mir! Ich heiße Hanswurst oder Kilian Brustfleck. Schreibt's auf Pergament aus Gazellenhaut: Kilian Brustfleck! Hier ist der Fleck, der Schandfleck, das Blutmal, das Brustgeschwür — hier! ein Pelikan!" (p. 140). (Abb. 5, 6 u. 7); (Abb. 8 u. 9)

In ihrem Bilderreichtum ist die Tektonik des Brouwer-Dramas den Romanen Stuckens verwandt, die in seinem Schaffen zeitlich auf *Adrian Brouwer* folgen und die Hauptproduktion seiner letzten Schaffensperiode ausmachen. Bevor wir uns der erzählenden Prosa Stuckens zuwenden, wollen wir jedoch einen Blick in die Hölle der Seele der Protagonisten Stuckens tun, die vielleicht als Spiegel seiner eigenen Seelenhölle interpretiert werden kann.

57

13 „War's meiner Seele Hölle..."

Der sich sporadisch in bürgerlichen Anwandlungen ergehende Adrian Brouwer verbirgt hinter einer dünnen Zivilisationsfolie mangelhaft die Abgründe seiner Seele: „Was, Kuckuck, Freund, hast du eine Ahnung, wie ein Querschnitt durch mich aussieht!" (*Die Hochzeit Adrian Brouwers*, p. 119). In lebenslanger bürgerlich zivilisierter Gewohnheit gelingt das Manöver dem Kulturmenschen Eduard Stucken besser. Aber der Gefährdung, welcher der Mensch im Ausnahmezustand des Künstlertums ausgesetzt ist, bleibt sich Stucken bewußt. Er bekennt in einer biographischen Buchbeilage für den Horen-Verlag: „Ich habe weder den Professorentitel noch den Doktortitel. Mein einziger Befähigungsnachweis ist, daß meine Großmutter (Tochter einer Harfenspielerin) wahnsinnig wurde. Auch meine hochbegabte Mutter war zeitlebens nicht ganz normal (Grenzzustand)."

Stucken war ein Nachtmensch, und den erhebend inspiratorischen gesellen sich die zerstörerisch finsteren Nachtgedanken. Erst im Lampenschimmer erblüht seine Phantasie, verzerrt durch die Schlagschatten des Grotesken. Das Zueignungssonett zu sonst kommentarlosen Zeichnungen, die unter dem Titel *Grotesken* 1923 erschienen, beginnt:

> *War's meiner Seele Hölle, wo sie schliefen?*
> *Ein Sündenbabel (wenn ich recht mich prüfe) ...?*
> *Bin ich gerast durchs Land der Hippogryphe*
> *In Jahren, die — bevor ich war — verliefen (Abb. 1 u. 2).*

Die Worte Gabrielle Wittkop-Ménardeaus über E. T. A. Hoffmann könnte man auf Stucken übertragen: „Die Ethik läßt ihn indifferent, während er mit dunkler Wut und tollem Vergnügen alles aufzeichnet und schildert, was grotesk ist. Das Groteske des Seltsamen und das Groteske des Banalen, das Burleske, die Dummheit in all ihren Gestalten."[1] Die Dämonologie von Stuckens *Grotesken* ist den Zeichnungen v. Hofmanns urverwandt und überhaupt die üppig sprießende Traumphantasie. „Die Vorliebe für Schilf, Seerosen, Orchideen, Mohn darf bereits als erster Hinweis auf einen ausgeprägten Hang zur Nachtseite der Natur verstanden werden, auch zum Makabren, zum Monströsen und Satanischen, zu jenen Bezirken also, in denen Einhorn und Kentauer, Chimären, Nymphen, Najaden, Schlangenfrauen ihren natürlichen Ort finden."[2]

Mit seiner ausschweifenden Phantasie dämonisiert sich die Umwelt für den Nachtmenschen Stucken. Der Freund Felix Braun berichtet aus seinen Erinnerungen: „Von den vielen Gesprächen mit ihm, in denen ich der Empfangende blieb — seine Art zu erzählen glich, trotz seines stockenden Sprechens, der des Märchens —, kommt mir eines im Berliner Zoologischen Garten am häufigsten in den Sinn. Als wir vor dem See-Elefanten standen, der sich aufs ergötzlichste im Wasser umtrieb, meinte ich, es sei doch bisweilen der Gedan-

ke nicht völlig abzuweisen, daß der Demiurg einer launigen Schöpfungsanwandlung nachgegeben haben müsse, wenn er ein solches humoristisches Tierhaupt erfunden und ins Leben gerufen habe. ,Oh nein!' rief er aus und blickte mich mit dem Ernst dessen an, dem eine Wahrheit feststeht: ,Das ist der Dämon! Hinter jedem Tier steht der Urdämon seiner Gattung!' Mit ganzem Glauben lehrte er mich eine Dämonologie, die er wohl einer alten Lehre verdankte. Er wußte ja so viel, das Älteste war ihm jung, und auf welche Weise Pflanze, Tier, Mensch und Gott ineinander übergehen, war ihm wie einem Weisen Asiens vertraut."[3] Stucken besaß eine selbstzerstörerische, morbide und grausame Phantasie, von „Grausamkeitswollust" spricht Arthur Drews. Die Menschenschlächtereien in den *Weißen Göttern* z. B. werden nicht einfach registriert. Stucken watet förmlich darin. Bei der Schilderung des furchtbaren, blutdürstigen Götterkultes der Azteken befand sich Stucken wahrlich in seinem Element: „Hier konnte der Hang des Dichters zum Grausigen sich ungehindert austoben: es gehört zur Sache, und so schenkt uns Stucken denn auch nichts, um unsere Nerven immer von neuem bis zum höchsten Entsetzen aufzupeitschen. Keine Todesart, keine Scheußlichkeit und Widernatürlichkeit, die nicht in diesem Buche mit gewissenhafter Sorgfalt aufgezeichnet und beschrieben wäre. Wir fühlen uns aufs Heftigste abgestoßen und kommen doch nicht aus dem Banne des Dichters los, der das Fürchterlichste wie etwas Selbstverständliches so ruhig vorbringt, als handelte es sich um die harmlosesten Dinge von der Welt."[4]

Nicht nur in den *Weißen Göttern* häufen sich die Beschreibungen menschlicher Exzesse. In *Larìon* lesen wir, wie finnische Bauern, durch die Willkür des Feudalherren zum Wahnsinn aufgestachelt, ihren Peiniger zerstückeln. Er wurde buchstäblich „in Fetzen gerissen, so daß keine seiner Gliedmaßen vom Körper nicht abgetrennt war, keiner seiner Knochen vom Fleisch nicht entblößt war. Ohne Messer und Waffen, mit den bloßen Händen wurde das vollbracht. Und ein Blutrausch packte nach der Tat die Tollen, ein tragischer Fasching folgte auf den Tyrannenmord. Die Weiber benahmen sich am wüstesten dabei. Ein Bauernmädchen riß das mächtige Geweih eines Elens — eine die Saalwand schmückende Jagdtrophäe — herab, setzte sich rittlings auf das Geweih und führte einen Reigen, eine Weiberpolonäse an. Der Tanz wurde zum höllischen, grausig grotesken „danse macabre". Im Kreise umhüpften die Frauen die schauerlichen Überreste des zerrissenen Gutsherrn, und der Reihe nach stellte sich eine jede mit gespreizten Beinen über den blutigen Haufen, hob den Rock und verrichtete ihre Notdurft" (p. 82).

In *Giuliano* wird berichtet, wie die kleinen Medici-Prinzen vor einer etwa aufwallenden humanen Regung gefeit werden. Von Don Luigi di Toledo, dem Bruder der Herzogin, heißt es: „Als ihm zu Ohren gekommen war, sein Neffe — der damals achtjährige Don Gracia — habe, einem Gefecht zuschauend, Zeichen von Ängstlichkeit gezeigt, erbat und erhielt er von Cosmo die Erlaubnis, den kleinen Prinzen an die

Abb. 1   Stucken am Schreibtisch, 1925.

Schrecken des Krieges und den Anblick von Blut zu ge-
wöhnen. . . . Don Luigi di Toledo zwang nämlich Don Gracia, aus nächster Nähe mitanzusehen, was mit sienesischen
Kindern geschah, die von Hunger getrieben sich vor die Tore
der darbenden Stadt hinausschlichen, in der Hoffnung ein
Stück Brot von den Feinden erbetteln zu können. Die spanischen Landsknechte ließen die Kinder herankommen, an-
statt ihnen jedoch Brot zu geben, schnitten sie ihnen die
Hände ab und jagten die Verblutenden in die Stadt zurück"
(p. 55).

In dem Romanzenzyklus *Triumph des Todes* in *Romanzen und Elegien* von 1911 schwelgt Stucken in der Beschreibung des Blutrauschs des Päderasten Gilles de Raiz:

Hier sündigte Gilles de Laval,
Sire de Rouci, Montmorency,
Craon et Raiz. An Belial
Schrieb er den Blutbrief, gab im Saal
Die Orgien an, die schauderhaften,
Sah kleiner Kinder Todesqual,
Das Herz verzehrt von Leidenschaften.

Denn:
Schön ist die Tugend, Prinz, doch schal;
Und heller brennt im zauberhaften
Verwesungslicht wie ein Fanal
Ein Herz, verzehrt von Leidenschaften (p. 32—33).

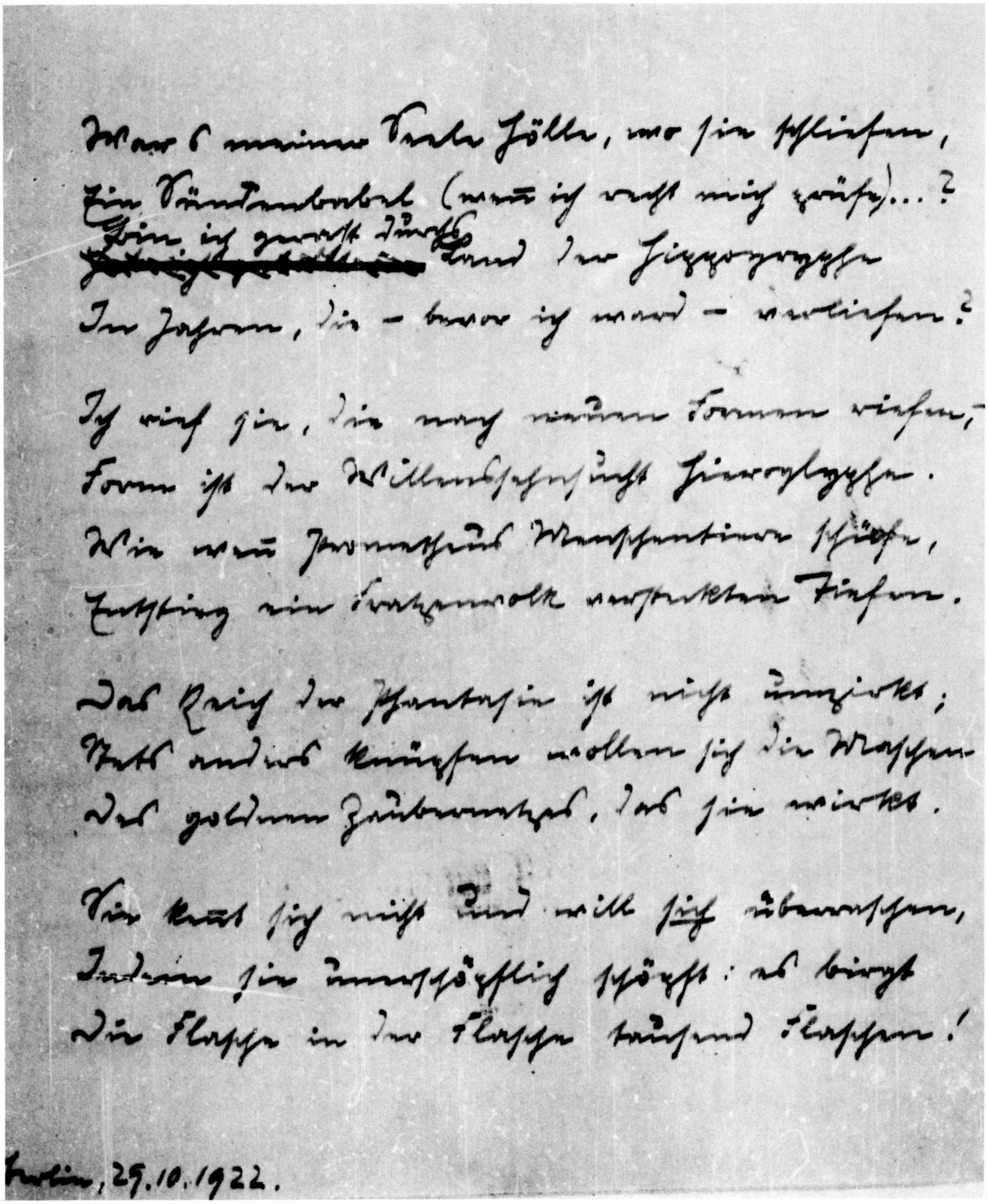

Abb. 2   Handschriftlicher Entwurf Stuckens „War's meiner Seele Hölle . . .", p. 58.

Das Wort allein genügt Stucken nicht, um sich von den Bedrängnissen seiner Phantasie zu befreien. Seine Seele reibt sich wund im Kampf mit einem Leben, dem sie nicht gewachsen scheint. Der äußeren gesellt sich die innere Not. Von dunklen Mächten bewegt, entsteigen lauernde Nachtgesichte dem Abgrund, die den Dichter mit Grauen erfüllen, ihn schrecken, ihn jedoch gleichzeitig faszinieren und zur Darstellung des Unaussprechlichen treiben, um die Drohung abzuwehren, oder zumindest in die Darstellung zu bannen. „Die Gestaltung des Grotesken ist der Versuch, das Dämonische in der Welt zu bannen und zu beschwören", schreibt Wolfgang Kayser in seinem dem Grotesken in Malerei und Dichtung gewidmeten Werk.[5]

Wir müssen die Stuckensche Triebdynamik als Zivilisationsventil verstehen und die klinische Auslotung der Tiefenpsychologie überlassen. „Wie Phantasie und Wissenschaft in seiner Dichtung sich vermählten, dies ist's, was sein Einzig-

artiges, seinen Stil ausmacht. Seiner Erfindungsfreude genügte das poetische Reich nicht: Eduard Stucken war auch ein Zeichner, dessen *Grotesken* von genialer, unbegrenzter Phantastik zeugen. Hier offenbart sich eine der Wurzeln seiner Kunst: eine tiefe, ihrer selbst unbewußte Sinnlichkeit, die manchmal, ja häufig in eine erstaunliche Nähe der Grausamkeit geraten konnte."[6] In den *Grotesken* erweist sich Stuckens Doppelbegabung am eklatantesten. Man beklagt den Verlust der umfangreichen Mappe mit Handzeichnungen durch die Kriegseinwirkungen. Die Affinität der Kunstgattungen Dichtung und Malerei verdeutlicht Stuckens Aussageweise. Wie in seiner Sprache das Deskriptive dominiert, der Sinn für das Zeichnerische, so auch in seinen Lithographien, die uns wie Paralipomena seiner Dichtung anmuten.

So stellt ein *Flaschengeist* aus der arabischen Märchenwelt von Tausendundeiner Nacht nicht nur die einfache Eingeschlossenheit des Djinni dar, wie etwa bei Robert L. Ste-

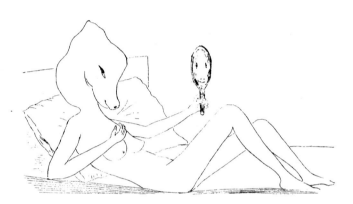

Abb. 4

Abb. 3

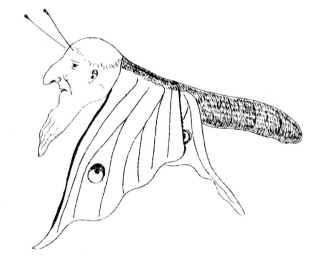

Abb. 5

Abb. 3—5   Zeichnungen von Stucken aus *Grotesken*, 1923: Der Flaschengeist; Mythologische Figur (Traumgestalt); Tschuangtses Traum: Der Schmetterling,

61

venson in der Erzählung *Bottle Imp*, sondern das Phänomen des auf seine Entfesselung lauernden Phantoms wird von Stucken „ad infinitum" fortgesetzt, wie es das Eingangssonett zu den *Grotesken* vorausnimmt: Die Phantasie ist unerschöpflich, es birgt „die Flasche in der Flasche tausend Flaschen" (Abb. 3). Die *Grotesken* spiegeln eine phantastische Imaginationsgabe, gekoppelt mit einer das Perverse streifenden bleichen Sinnlichkeit, in wüsten Schimären verdeutlicht: „Fossilien des Psychischen"; doppelköpfige Tiermenschen erscheinen als „sichtbar gewordene Ausgeburten des Unterbewußtseins von sardonischer Dämonie und erstaunlicher Grausamkeit. Manches könnte von Hieronymus Bosch sein."[7]

Zahlreiche Frauengestalten Stuckens gehören zum Typ der „belle dame sans merci" (Abb. 4) präraffaelitischer Imagination, und selbst in Stuckens heilbringender Erscheinung der „beata beatrix" bricht das dämonische Erbe der Lilith durch. Über Viviane, die Teichmaid aus dem Gralsepos, deren Reizen selbst der willensstarke Merlin erliegt, sagt der bezauberte Zauberer Merlin:

Traumverloren ist, wer dich sieht: — so als Perle geboren
Aus der Muschel. Und wenn er nicht flieht, ist er verloren
(p. 234).

Man bedauert die Kommentarlosigkeit der *Grotesken*. Bei ihrer Betrachtung glaubt man Assoziationen zu Stuckens Dichtung herstellen zu können, etwa in *Tschuang-tses Traum*:

Tschuang-tse träumte sich als Schmetterling,
der bunt an Blumen hing,
mit andern bunten Faltern wirbelnd flog,
und flatternd Nektar sog,
ein seliges, juwelenhaftes Ding.

Als er erwachte, war es offenbar,
daß er kein Falter war,
daß er im Schlaf auf seinem Bett geruht
ein Mensch von Fleisch und Blut.
Klar schien's; doch seinem Geiste schien's nicht klar.

War es Tschuang-tse, der geträumt, daß er
ein froher Falter wär?
War es der Schmetterling, der traumumspielt
sich für Tschuang-tse hielt?
Der Weise fand die Antwort nimmermehr (Abb. 5).
Balladen (1920), 85.

Warum überließ Stucken die Illustration seiner Gedichte anderen Künstlern? Selbst wenn einige der zeichnerischen Interpretationen von Fidus gelungen sind, wir erinnern uns an *Frau Trude* im sechsten Kapitel, so begnügt sich Fidus doch häufig mit einer Klischeewiedergabe, und obwohl sich Ludwig von Hofmann intensiv in die Atmosphäre von Stuckens Dichtung versenkt, wie wir dem Briefwechsel mit Stucken entnehmen können, hätte man sich Stucken selber als Deuter seiner Einbildungswelt gewünscht (Abb. 5, p. 65).

Stuckens scharfe Beobachtungsgabe zeigt sich in Wort und Bild, doch zumeist ist sein Werk opaleske Spiegelung seiner mitunter alpdruckhaften Traumwelt. Wir kennen bereits solche Traumwortgespinste Stuckens wie *Phantasie* (Kapitel Einführung) aus dem *Buch der Träume* und wollen nun Stucken in das Land der Träume folgen.

14 Im Land der Träume

Wir, wir sind Träume — und doch wahrer weit
Als eure Gaukelwelt der Wirklichkeit, (p. 70)

aus Stuckens Ballade *Connla* in den *Romanzen und Elegien* könnte als Leitmotiv über seiner gesamten Lyrik stehen. Und so heißt auch der Band, der seine zartesten Gedichte enthält *Das Buch der Träume*. „Es sind Gefühlslaute unkomplizierter Menschlichkeit, vornehm allem Niederen abgewandt, tief eingesenkt in die umgebende Natur, mit der der Dichter häufig ganz verschmilzt. Der starke, von Musik erfüllte Rhythmus und die metrische Form tragen die Inhalte hoch über alle Wiedergabe von Einzelerlebnissen empor, in das Bereich der Träume, das der Titel verheißt."[1]

Aus Gelegenheitsgedichten, Widmungen und persönlichen Briefen geht hervor, daß Stucken „in Versen dachte". Diese Leichtigkeit der Versifikation gereichte seinem Werk zuweilen zum Nachteil. Aber die heitere Ungezwungenheit ist Fassade. Die launige Reimerei eines Briefanfangs an Wolfgang Goetz mit Wortspielen um den Sänger Orpheus, der zu den Schatten der Unterwelt hinabstieg, vermag Stucken am folgenden Tag nicht weiterzuführen: „Heute aber bin ich elegisch gestimmt. Furchtbar träumte mir vorige Nacht: ich sah meinen wehrlosen Schatten [gemeint ist sein Roman *Im Schatten Shakespeares*] (der Anfang nächster Woche erscheinen soll) in den Krallen der Herren Fritz Engel, Leppmann, Eloesser und anderer noch, die meine Bücher zu zausen und zerfetzen pflegen" (1. 10. 1929). Stucken fühlt sich deplaciert in einer prosaischen Welt, und vereinsamt schreibt er an Felix Braun: „Sie sind der einzige Mensch, der einzige Dichter von Rang, der nicht nur achtungsvoll sondern ehrlich und mit warmer Sympathie für meine Verse eintritt, der einzige, der die Melodie meiner Gedichte hört und liebt und den Mut hat, es öffentlich zu sagen. . . Nicht wahr, darüber sind wir doch einig, daß — trotz des Erfolges meiner *Weißen Götter* — nicht Prosa (in der ich mich als Dilettant fühle) sondern der Vers das mir natürliche Element ist, worin ich wie ein Fisch leicht und schnell und wohlig schwimme; und

Abb. 1 *Erdenstaub*, Ballade eines blinden Kindes, Zeichnung Fidus, p. 63.

Abb. 2 *Die Weide*, naturmagische Ballade, Zeichnung Fidus, p. 63.

daß — vor allem — das Grals-Epos mein eigentliches Lebenswerk ist.

Leider ist für meine Begabung — die der Ovids ähnelt — die heutige Zeit nicht günstig. Nur wenige Leser sind heute imstande, die Substanz einer Verszeile zu erfühlen, Vers von Vers zu unterscheiden" (20. 1. 1928).

Das lyrische Element ist im Werk Stuckens stark ausgeprägt und bis in seine Prosa hinein spürbar: „Seit uralters war es ein Menschheitstraum: hinauszufliegen ins All, den Fuß setzen auf einen andern Planeten! Irdische Farben, Düfte, Klänge und Worte hinüberretten in die grenzenlose Welt! Außermenschliches schauen, miterleiden, miterleben! ... Überirdisch würde uns das Furchtbare dort sein, überirdisch auch das Schöne" (*Die weißen Götter*, l, p. 5).
Stuckens eigentliche Lyrik umfaßt vier Bände:
Balladen, illustriert von Fidus, 1898; erweiterte Auflage 1920.
Romanzen und Elegien, 1911.
Das Buch der Träume, 1916, illustrierte Ausgabe von Ludwig von Hofmann, 1921.
Die Insel Perdita, neue Gedichte und Balladen, 1935.
Diese wurden schließlich zusammengefaßt in der posthumen Ausgabe *Gedichte* von 1938, ohne *Die Insel Perdita*.

Neben heroischen Themen meist historischer Prägung, finden sich rührend liebliche wie *Erdenstaub* (Abb. 1), in dem sich die Lichtsehnsucht eines blind geborenen Kindes offenbart, Naturmagie und Sehnsucht des Unerlösten verbinden sich in der Ballade *Die Weide* (Abb. 2), und immer ent-fliehen Stuckens Gestalten einer grausamen Wirklichkeit, suchen sie das Land der Träume, der Sehnsucht:

> *Trug ist die bunte Welt, in der du lebst;*
> *Ein bald verwahrlost Grab, wonach du strebst;*
> *Dich grinst der Totenschädel an des Nichts,*
> *Wenn du die Hülle von den Dingen hebst,*
> (*Gedichte, Connla*, p. 69)

63

Abb. 3   Zwei Entwürfe Ludwig von Hofmanns zu dem Gedicht *Harpyien* für *Das Buch der Träume*, p. 66.

so lockt das Traummädchen „aus dem Land der Seligkeit", „wo das Einhorn lebt und der Greif" den Jüngling Connla. „Steig mit mir in den Nachen von Kristall." Connla folgt ihr ins Boot, und „dem Blick entschwand es; und kein Ohr vernahm jemals, ob es den Weg zum Traumland fand"; denn jenes Traumgestade ist Avelun, das Land der Erfüllung, „das alles Sehnen stillt" und das der Dichter in seinen Träumen sucht, aber nicht mehr zu finden hofft.

„Das Poetische wächst aus einem Menschentum feinster Sensibilität, das sich durch die ästhetische, kulturelle Form scheu bis zur Kühle, bis zur Abweisung und Entfremdung von der allgemeinen Welt abschließt; Distanzhalten ist das stete Sehnen dieses Menschentums. Gerade darum ist dieses Menschentum doppelt wertvoll. Man muß zwischen den Zeilen lesen, hinter die Worte der Dramen schauen, um sich das Schöpferische, das Wertvollste Stuckens anzueignen, selbst bei seinen Gedichten":[2]

Aus meinem Körper stahl
sich mein Herz bei Nacht, und es fand
Nie zurück; — durch Berg und Tal
sucht es irrend das heilige Land,

heißt es in *Sehnsucht* im *Buch der Träume* (p. 37), dessen düsteren Stimmungsgehalt Ludwig von Hofmann in zehn Originalsteindrucken wiederzugeben suchte.

Ludwig von Hofmann hatte mit Gerhart Hauptmann 1905 eine Reise nach Griechenland unternommen, dem Land seiner lyrisch-hellenischen Idealfiguren. Er hatte Hauptmanns und Eulenbergs Werk illustriert. Stucken fühlte sich von der zeichnerischen Ausdeutung seiner Gedichte angezogen und trug sich mit dem Gedanken, von Hofmann werde Holzschnitte zu seinem Zyklus *Triumph des Todes* in *Romanzen und Elegien* anfertigen. Dieses Projekt blieb un-

Abb. 4   Ausgeführte Lithographie zum Gedicht *Harpyien* von Ludwig von Hofmann; vgl. Endform S. 8, Vorwort.

ausgeführt, aber die Lithographien für das *Buch der Träume* kamen zustande (Abb. 3, 4 u. 5). *Harpyien:*

Blendend schön und gräßlich, umflattern mich die
quälenden Vögel.
Weh! ich stolzer, darbender König! Strotzend
locken goldne Schüsseln; doch jeden Bissen
schmutzt der Vögel Unrat. An reicher Tafel
muß ich verlechzen.

Abb. 4   *Harpyie,* Zeichnung von E. Stucken aus *Grotesken.*

Während von Hofmann gleich Fidus aus der Stilauffassung seiner Zeit heraus seine Illustrationen gewöhnlich mit kunstvollen Arabesken umrahmte, verzichtete er zugunsten des Traummotives bei Stucken nicht nur darauf, sondern er ließ den sprechend bildhaften Hintergrund seiner ersten Entwürfe immer mehr sich verschwimmend auflösen. In ihrer Bildhaftigkeit scheint die Dichtung des Jugendstils besonders zur Illustration geeignet. Das kurze Gedicht *Die Kugel* (p. 8), das wir aus dem Vorwort kennen, enthält konkrete Begriffe wie ‚Sonne, Wolken, Bäume‘, Metaphern wie ‚steingewordener Wasserball‘, ‚kristallner Wölbung Widerschein‘, Vergleiche wie ‚wie Engelsleib durchsichtig‘, ‚wie ein Planet‘, und obwohl es sich nicht um eine Ballade, sondern um Gedankenlyrik handelt, wird die Gleichsetzung der leblosen Kugel mit dem empfindungslosen Menschenauge von Stein auf eine Weise vollzogen, die sich bildlich wiedergeben läßt.

In der Endfassung, die dem Text des Kugel-Gedichtes beigegeben ist, verwischt der Maler die Bildsymbolik, die ihn im ersten Entwurf zur Gestaltung verlockt hatte. Denn die Wortbilder lenken die Aufmerksamkeit des Beschauers auf sich auf Kosten der Mittelpunktsfigur. Darum ändert der Maler sein Konzept, um dem Grundgedanken des Gedichtes *Die Kugel* gerecht zu werden: das einsame Ich im All. Und so treten jetzt die großen Kreislinien hervor, die zuerst in der Fülle des Dargestellten untergingen. Die Linien scheinen zu

schwingen, sie laufen zusammen im Abbild der Kugel, des Planeten, der ewigen, weit entrückten Sphärenharmonie des Weltenalls. Die Bilddarstellung durchdringt das Wortgebäude, reduziert es auf das Wesentliche: das Individuum, hineingeworfen in den heraklitischen Fluß des Lebens, das selbst dann noch sein Ideal der Schönheit hochhalten muß, wenn es dessen grausam unbeteiligte Selbstbezogenheit erkennt, welche der des Universums gleicht. Der Konzentration auf das Visionäre fällt in der endgültigen Fassung die sprechende Plastizität des Hintergrundes deshalb völlig zum Opfer. Der Illustrator schreibt dazu an den Dichter: „Sie sehen die große Schwierigkeit: es fehlt fast ganz die seelisch vertiefte landschaftliche Stimmung — ich habe die figürlich greifbaren Momente herausgefischt — aber das Traumhafte, das zart Visionäre flüchtig Verschwebende so vieler Gedichte ist dabei zu kurz gekommen, so daß ich mir ganz gut vorstellen kann, Sie werden in den Entwürfen eine materialistische Vergröberung des *Buches der Träume* sehen, die Ihnen gewiß nicht zusagt“ (4. 3. 1921) (Abb. 1. p. 8).

Welche Gedanken mögen den so häufig enttäuschten Stucken befallen haben, als ihm von Hofmann als Gabe zu seinem 70. Geburtstag den ungedruckten Entwurf zu dem Gedicht *Den Fluß hinab* übersandte, das Stucken besonders am Herzen lag, und das er von Else Heims bei einem Autorenabend 1917 hatte vortragen lassen.

Den Fluß hinab

Im Mittagsschein
fahr ich im Boot allein
den Fluß hinab, der mit mir sinnt und träumt.
Kein Laut im Kreis;
der Kiel gluckst schläfrig, leis;
von Linden ist das Ufer hoch umsäumt.

Der Sonne Glut
strahlt wider aus der Flut
mit Bäumen, deren Kronen abwärts stehn.
Im Fluß erhellt
sich eine Spiegelwelt,
wieviel auch Wellen kommen und vergehn.

Metallen blank,
stahlblau und zierlich schlank
fliegt die Libelle auf der Spiegelung.
So leichtbeschwingt,
von Sonnengold umringt,
flog meine Seele einst, sehnsuchtsvoll, jung.

Zu jung vielleicht,
getäuscht, enttäuscht so leicht,
genoß sie Hoffnung nur, wenn sie genoß;
verfolgte wild
ihr eignes Spiegelbild
in einer Welt, die wie ein Fluß zerfloß (Abb. 6).

Abb. 6   Lithographie v. Hofmanns für *Den Fluß hinab* in *Das Buch der Träume*, Ausg. 1921, p. 66.

Der junge Stucken hoffte noch, daß sein Atlantis in Wirklichkeit zu erreichen sei. Der Alternde erkannte dies als Illusion:

Wir sind Schein!
Zum Gestirn hebt uns Sehnsuchtsgefieder —
Entflügelt sinken wir nieder
Um Erde zu sein
(Erde, Die Insel Perdita)

Und doch gibt es sie, diese Insel Perdita, das verlorene Paradies, das Traumland der Sehnsucht; denn

Wer je das Elfenhaus betrat,
Vergißt es nimmer:
Ihm hellt und goldet jede Tat
Der Sehnsucht Schimmer.
(Die Spieldose, Die Insel Perdita)

15 Sphärenharmonie

Freilich, nur ein Schimmer dieser Traumwelt bleibt zurück, wenn der Dichter erwacht und sich in einer zerrissenen Welt wiederfindet. Diskrepanz überall, Disharmonie, Gegengesetzlichkeit, vor allem die Antinomie von Gut und Böse, und die Frage erhebt sich: Wie ist dieser Dualismus in die Welt gekommen? „Daß ein allgütiger Schöpfer das Übel und die Sünde in die Welt gebracht, ist ein Widerspruch, auf welchen als Erster Scotus Eriúgena (am Hofe Karls des Kahlen) gestoßen ist, ohne ihn durch Dialektik beseitigen zu können. Nicht allgütig, sondern sowohl gut wie böse ist der indische Brahma, sowohl Weltschöpfer wie Weltvernichter", schrieb Stucken 1925 in dem synkretistisch utopischen Aufsatz *Das dritte Reich*. Die Sehnsucht nach Avelun erweist sich also als Sehnsucht nach Erlösung aus diesem Zwiespalt. „Wie der indische Brahma, ist auch der Gott Jakob Böhmes gut und böse zugleich, faßt in sich das Ja und das Nein. . . . ‚Denn der H. Geist sol ewig regiren und ein ewiger Eröfner in der Licht- und auch in der Finstern-Welt seyn' *(Sex Puncta Mystica IV)*", heißt es dort weiter.

Das erste paradiesische Reich ist unwiederbringlich verloren, seit die Welt in ihre zweite Phase, den Dualismus, eintrat. Die Aufhebung dieser Gegenpole in einem dritten glückseligen Reich suchen die Vertreter der Symphilosophie von Origines von Alexandria im zweiten nachchristlichen Jahrhundert bis zu den Dichtern der Sympoesie der Romantik, etwa des Novalis, auch Schellings, und Stucken rechnet selbst Ibsen dazu: „Fimbultyrs Reich — das auf Weltentrümmern aufblühen soll, wenn Licht und Dunkel ausgekämpft — Fimbultyrs jenseitiges Reich ersehnte auch er. Und dies dritte Reich suchend, schrieb er die dritte Edda", meint Stucken über den heute nurmehr als Schöpfer der Gesellschaftswalküren auf dem Schlachtfeld der Frauenfrage bekannten Ibsen *(Ibsen und die Sage*, 1906, p. 89).

„Fast ein halbes Jahrtausend vor Jakob Böhme, siebenhundert Jahre vor Henrik Ibsen, schrieb der kalabresische Mönch Joachim de Flore vom dritten Reich und verkündete, daß das Christentum eine Phase des Weltprozesses, aber noch nicht die Vollendung sei: 'Le premier temps a été celui de la connaissance, le second celui de la sagesse, le troisième sera celui de la pleine intelligence", so Stucken in der vorher angeführten religionsphilosophischen Abhandlung. Entspre-

chend sagt Eloa, die verlorene Seele des einstigen Lichtengels, zu Lucifer:

Dein Reich kam mit der Nacht von Golgatha,
Das zweite Reich, das viel Pracht und Jammer sah
Und Frondienst (der Mutter Fluch, die aus Eden
vertrieben!); —
Doch in der Geheimnisse Buch steht aufgeschrieben,
Daß ein drittes Alter beginnt und sich ewig erstreckt,
Wenn dein Enkel, der Liebe Kind, das Morgenrot weckt.
(Lucifer, Der Gral, p. 50)

Mag unser irdischer Mikrokosmos in Dissonanzen zerfallen sein, im Makrokosmos des Universums gelten weiterhin die harmonischen Weltgesetze und enthüllen sich als Vorbild und Wunschbild demjenigen, der ihre Sphärenharmonie zu erahnen vermag:

„Die Sonne tönt nach alter Weise
In Brudersphärenwettgesang,
Und ihre vorgeschriebne Reise
vollendet sie mit Donnergang",

beginnt der *Prolog im Himmel* von Goethes *Faust*, und von Brudersphärenwettgesang ist auch in Schillers *Lied an die Freude* die Rede, von Sternensphären der Seele in Brentanos *Nachklängen Beethovenscher Musik*. In der Musik offenbart sich die Sphäre der Harmonie dem Menschen. „Pythagoras und Plato wußten von der Harmonie der Sphären. Vernahmen sie die unvernehmbare? Wie mögen die Gesänge der Sterne sein? Ich denke sie mir blinkend von farbigem Glanz — vielleicht rubinrot oder resedagrün, ockergelb oder purpurschwarz — und dennoch, trotz ihrer grellen Leuchtkraft, unhörbar: so wie ultraviolette und ultrarote Lichtstrahlen unsichtbar sind.

Gar taub sind unsere Ohren, und gar blind sind unsere Augen! Wir sind umrauscht von Sphären-Symphonien — und wir wissen es nicht. Wir haben große Künstler unter uns — und wir wissen es nicht. . .

In seltenen Momenten glückt es einem der Gottbegnadeten wohl, die Herrlichkeiten des himmlischen Orchesters zu erlauschen und niederzuschreiben, was uns andern ein ewiges Schweigen geblieben wäre. Hat er die Akkorde eingefangen und aufgezeichnet, so kann das Wunder geschehn, daß aus irdischen Instrumenten und menschlicher Stimme Seligkeit aufsteigt, sich knospenhaft entfaltet, aufblüht und duftet,

Abb. 1   Steindruck Ludwig von Hofmanns zum Gedicht *Mondzauber,* für *Das Buch der Träume.*

Abb. 2   Vertonung des Gedichtes *Mondzauber* von Max Marschalk.

eine im Jenseits gewachsene Blume." Diese Worte stammen aus einer Rede Stuckens zu Max Marschalks 70. Geburtstag. Obwohl Stucken „die synästhetische Potenz der Sprache"[1] weitgehend auslotet, sucht er über Stefan Georges Grenze „kein ding sei wo das wort gebricht" mit Hilfe weiterer Medien hinauszudringen. Dort, „wo das Wort gebricht", wendet sich Stucken an die Musik. Wir sahen, wie die Zeichnungen Ludwig von Hofmanns den Wortbildern in Stuckens Gedichten plastisches Gepräge verleihen; die Vertonungen Marschalks geben eine weitere Tiefendimension. „Therese Schnabel-Behr sang sieben Lieder aus dem *Buch der Träume,* vertont von Max Marschalk. Wundervoll gelang der Künstlerin die Wiedergabe des Visionären, das all dieser zarten Empfindungspoesie die Note gab", heißt es über einen Autorenabend für Stucken in der Singakademie in Berlin. Das Gedicht *Mondzauber* aus dem *Buch der Träume* wird auch als Lied zur Guitarre gesungen in der *Hochzeit Adrian Brouwers:*

Durch das Astgeranke
heimlich und sacht
steigt des Vollmonds blanke
silberne Pracht.
Nur noch im Grase die Grille
ruht nicht und zirpt ihre schrille
Klage hinaus in die stille
mondhelle Nacht.

Unter weißen Birken
blick ich ins Tal.
Nebel spinnen, wirken
aus Mondgestrahl
Tücher, weißblinkend und seiden;
fern an des Flußufers Weiden
seh ich die Roßherde weiden,
geisterhaft fahl.

Regt sich's nicht im Schilfe?
Klagt's nicht im Rohr?
Taucht nicht eine Sylphe
schimmernd empor!
Hab ich nicht einst diesen wehen
Blick von verwundeten Rehen
lachend und strahlend gesehen
lange bevor? (Abb. 1 u 2).

69

Glintenkamp

Abb.   Der Hermaphrodit, Zeichnung aus Stuckens *Grotesken*.

Abb. 4   Der Hermaphrodit Kreideschmetterling, Holzschnitt von Hendrik Glintenkamp für die engl. Übersetzung von Stuckens *Weißen Göttern, The Great White Gods*, 1934.

Stuckens Sehweise ging konform mit den synästhetischen Bestrebungen des Jugendstils, der glaubte, „sich in besonderem Maße für die Einheit der Künste einsetzen zu müssen und der aus besonderem Geiste das ganze Leben zu ergreifen versuchte. . . Ausschlaggebend war für alle, die an der Spitze dieses Jugendstils standen, der Kampf gegen den Geist des 19. Jahrhunderts und für jeden neuen Stil, auf dessen ‚Seele‘ als geistigen Gehalt und dessen ‚Schönheit‘ als sichtbare Form betonter Wert gelegt wurde."[2] Auch das Zykluskonzept bei Stucken im Gralsepos, im *Triumph des Todes*, entspricht dem Zyklusgedanken des Jugendstils, der den ewigen Kreislauf von Leben und Tod wiederzugeben trachtet, Fidus im *Tempeltanz der Seele*, Klinger im *Totentanz*, Ostini in *Gedichten vom Zyklus des Tages*. Im Prologgedicht zu seinem Roman *Offenbarungen des Wacholderbaums* erweist sich bei Bruno Wille das Wasser als Jugendborn und zugleich als Todesflut. Ein alter Einsiedler ist in seinem Boot zum Wächter des Lebens bestellt, doch im gleichen Boot wird er zum Charon der in die Allnatur zurücksinkenden Seele. Um die Verbindungen von Mensch und All, Menschenseele und Naturseele, die dem Zivilisationsmenschen verloren gingen, weiß bei Wille nur noch Merlin. Der Sohn Lucifers und Dahüts ist bei Stucken gleichfalls prädestiniert, den Zusammenhang von Gut und Böse zu erkennen:

Abb. 5　Steindruck L. v. Hofmanns für das Gedicht *Tod und Leben*, in Stuckens *Buch der Träume*.

Abb. 6

Harmonie will Dissonanz, um als Harmonie
zu erstrahlen in neuem Glanz.
(Zauberer Merlin, Der Gral, p. 310)

Als Erinnerungen an den versunkenen Einklang der Weltseele des Monismus tauchte bereits in der antiken Mythologie die Gestalt des Hermaphroditen auf, halb Mann, halb
Frau, halb Dämon, halb Engel. In den *Astralmythen* geht
Stucken ausführlich auf den Übergang weibmännlicher in
mannweibliche Göttervorstellungen der antiken Völker ein
(*Abraham* 54 f).

Mag das christliche Element in der Romantik überwiegen,
so in der Idee der „unio mystica" des Novalis, zur Zeit der
Neuromantik gewinnt die antike Vorstellung wieder die
Oberhand, bei Musil im *Mann ohne Eigenschaften*, bei Mey-
rink im *Golem*, bei Hesse in *Demian* oder *Steppenwolf*. Zahlreich sind die androgynen Mischformen „zwitterhaft,
Mädchen und Knabe" bei Stucken, im Wort, *Romanzen und
Elegien* (p. 82) und im Bild, *Grotesken* (Abb. 3). Die synkretistische Alleinheitsbestrebung manifestiert sich in „the per-
fect and harmonious state of the hermaphrodite."[3] In den
Weißen Göttern besiegelt ein Hermaphrodit sogar das
Schicksal ganzer Völker. Cortez gewinnt wider Erwarten die
entscheidende Schlacht um Tlascala, weil die Heerführer der
beiden mächtigsten mexikanischen Völker wegen eines Hermaphroditen miteinander rivalisieren. Über dem Streit um
die Gunst des Zwitters vergessen sie ihre Kriegspflichten.
„Die Niederlage Tlascalas wurde verursacht durch Kreideschmetterling, die schöne Knäbin" (*Die Weißen Götter I*,
p. 319). Männer und Frauen verfallen dem Charisma des
Hermaphroditen. „Ein Jahr lang focht Prinz Kriegsmaske an
der Großen Mauer. Als Triumphator kehrte er heim nach
Tlascala, sehnsuchtverzehrt nach Kreideschmetterling. Da
entdeckte er, daß zwei seiner Frauen schwanger waren
— und von ihm, der länger als ein Jahr in der Ferne geweilt,
konnten sie nicht schwanger sein. . . Da kam es ans Licht,
daß Kreideschmetterling, seine Lieblingsgattin, halb Knabe,
halb Mädchen war. Mitten unter den Frauen lebend, hatte
— während seiner einjährigen Abwesenheit — das unselige
Zwitterwesen sich in die schönsten der Frauen verliebt und
sie zur Sünde verleitet" (p. 302), (Abb. 4).

Der Hermaphrodit als Emanation der Weltseele erinnert
an den Urmythos der bisexuellen Kybele, die aus sich selbst
gebiert, wie das Motiv des Inzests in der ureigensten Bedeutung der Rückkehr des Mannes, des Sohnes, in den Mutter-

schoß, das Stucken in seinen *Astralmythen* kulturhistorisch
betrachtet, das er in der Ballade *Nut und Osiris* poetisch erfaßt. Und an der Illustration von Fidus ist zu erkennen, wie
die umschließende Randleiste die Allumfassungsidee des
Jugendstils zeichnerisch zum Ausdruck bringt. (Abb. 6)

Aber der Monismus ist Vergangenheit und futuristische
Utopie. Die Gegenwart steht unter dem Zeichen der Bipola-
rität der Geschlechter, und der Strindbergsche Geschlechterkampf ist Gegenstand der Literatur der Stucken-Zeit, bei
Vollmöller, Mombert, Dehmel, Gerhart Hauptmann oder
Stucken. „Das Weib als Inkarnation der Sünde" erkennen
wir als ein Leitmotiv Stuckens und seiner Zeit. „ ‚Die Schuld
der Frau' — so sollte die Bibel heißen! Mit der unschuldigen
Nacktheit beginnt das Epos der Menschheit und endet mit
dem roten Gewande der Frau auf dem Tiere" (*Larion*,
p. 117). — Und doch läßt das männliche ‚Opfer' sich nur zu
gern auf die Sünde ein! In dem Gedicht *Tod und Leben* aus
dem *Buch der Träume* weiht sich der Gefangene der Liebes-
priesterin selber zum verzückten Ritualmord. Aus dem
rauschhaften Liebestod erblüht neues Leben:
Wir Männer jauchzen, todgeweiht und froh,
weil hell am Knöchel dir die Spange klirrt. (Abb. 5)
Aus der Haßliebe der Geschlechter erwächst das Kind. Wir
sahen an der zu Eingang des Kapitels zitierten Stelle aus dem
Gespräch Lucifers mit Eloa, wie am Anfang des Gralszyklus
die Geburt des Enkels prophezeit wird, auf den sich am
Ende in *Lanzelot* die synkretistische Hoffnung konzentriert.
Wie der Dualismus in der Welt erst durch die Wiedervereinigung von Gut und Böse aufgehoben werden kann, so die
Polarität der Geschlechter durch das Kind. In Zukunftsferne
erklingt ein Harmonienrausch:

Die Alte:
Schaut! Mit den Tönen schwebt die Flamme zu Gottes
Thron!
Der Jugendliche:
Harmonie schafft Harmonien, vermählend die Klänge!
Der Alte:
Dreiklänge schmelzen wie Gold im Tiegel und werden ein
Ton!
Alle drei (unisono):
Zukunft künden an die heiligen Glockengesänge,
Morgenröten künden sie an, die flammengleich lohn!
Harmonie soll immer uns leiten wie diese Klänge!
Neue Akkorde werden erklingen und sein wie ein Ton!
(Die Flamme)

Der Nachtmensch Stucken, der sich durch den Prozeß des Schreibens von den Dämonen seiner eigenen Seelenhölle zu befreien sucht, der utopische Träumer, der gnostische Spintisierer, war keineswegs ein Eremit. Obwohl in sich gekehrt, liebte er Geselligkeit. Stucken wuchs in einer kinderreichen Familie auf, seine Reisen unternahm er nicht allein, er hatte Freunde, stand mit ihnen in regem Gedankenaustausch. Er genoß die Anerkennung seiner Akademie-Kollegen und des Publikums. Aber immer regnete es harte, oft überspitzte Kritik. Dazu gesellte sich der Verlust von Stuckens persönlichem substantiellem Vermögen. Der Aztekenschatz Mexikos war auf einmal noch nicht einmal mehr ‚Götterdreck‘ — so nannten die Mexikaner das Gold — sondern nur noch Dreck, und für Stucken entpuppte sich der Schatz der spanischen Conquistadores während der Inflation als bescheidene Kaffeesendung. Ania Stucken wendet sich an Wolfgang Goetz: „Professor Schultze-Naumburg erzählt, daß mein Mann Kaffee geschickt bekommen hat aus Mexiko und daß Sie — auf eine uns noch recht geheimnisvoll erscheinende Weise — den Schlüssel zu dem Schatz in der Hand haben" (17. 7. 1923).

Selbst *Die weißen Götter* werden vom Zahlentaumel der Inflation erfaßt. Sie „lassen sich von den weihnachtlichen Käufern geheftet nicht unter 4 800, in Halbleinen für 12 000, in Halbleder für 16 000 anbeten", ja sie werden neben Remarques *Im Westen nichts Neues* und Krawtschenkos *Ich wählte die Freiheit* von ‚intellektuellen‘ Einbrechern in eine Buchhandlung zum Beutegut gekürt, ironisiert *Die Neue Zeitung*.[1] Der Autor freilich sieht wenig von diesem papierenen Reichtum. Jahrelang plagt er sich mit dem Verleger Reiß; am Ende steht der offizielle Bankerott des Verlages, der Stucken um den größten Teil des finanziellen Gewinns seiner Bücher brachte. Tiefe Depressionen sind die Folge. Daß Stucken nicht verbitterte, davor bewahrte ihn die Liebe zweier Frauen, Ania Lifschütz und Anna Schmiegelow. Die beiden Frauen mit dem ähnlich klingenden Namen waren seit ihrer ersten Begegnung in Saaleck in Thüringen bis zum Tode Frau Anias einander zugetan.

Stucken scheint 1911 zum erstenmal als Gast in Saaleck geweilt zu haben, das damals Wohnsitz von Paul Schultze-Naumburg war, dem Direktor der Weimarer Kunstakademie (Abb. 1).[2] Schultze-Naumburg war Naturapostel und Adept der Kalokagathia, wie Fidus oder Wilhelm Bölsche, ein ‚Hippie‘ des Jugendstils. Er war ein treuer, wenn auch etwas unheimlicher Freund. „Nach Saaleck — für drei Monate! Mir selbst kommt die Sache manches mal noch unglaubhaft phantastisch vor. Es ist alles, unter dem Druck des gewalttätigen Schultze-Naumburg, so fix gegangen. Ich habe mich nur über Eddy's plötzliche schnelle Entschlußfähigkeit gewundert. Ein wenig bangt ihm ja vor der dauernden Nähe des Menschen. Aber andererseits wohnen wir so abgeschlossen, hatten es auch wieder so behaglich letzthin in Saaleck, daß ich viel Ruhe, Erholung und gute Arbeitsmöglichkeit für

Abb. 1   Saaleck, bei Bad Kösen, Thüringen, Anfang der zwanziger Jahre.

die Zeit erhoffe", schreibt Ania Stucken im Kriegsjahr 1917 an die Stucken-Darstellerin Lina Lossen (26. 6. 1917).

Schultze-Naumburg war ein großzügiger Mensch, der seinen Freunden gern Freude bereitete. Immer wieder bedankt sich Stucken bei ihm für erwiesene Aufmerksamkeiten, die in Notzeiten um so willkommener empfunden wurden. Stucken dankt 1919 für eine Blumensendung zu seinem Geburtstag von Berlin aus, und die Wärme der Freundschaft läßt in harter Zeit auch die Ofenwärme erstrahlen: „Und nun schreiben Sie mir auch noch, daß die Möglichkeit besteht, ein Öfchen zu setzen, so daß wir vielleicht schon Anfang Mai kommen dürfen! Selbst wenn der Hofmaurer Schneider die Möglichkeit für eine Schimäre oder Chimäre erklärt, d. h. für ein Fabelwesen, das heutzutage längst der Paläontologie angehört, so bleibt doch die gütige Absicht eine Tatsache — ebenso wie die Vorfreude (dies schönste Geburtstagsgeschenk!) eine Tatsache ist." Nur ein Mensch, der selber durch Notzeiten gegangen ist, weiß, was hilfsbereite Freundschaft wirklich bedeutet und wie unendlich schwer es fällt, sich aus Gesinnungsunterschieden von einem solchen Freunde zu trennen.

Den Archäologen Stucken interessiert die Vergangenheit Saalecks, — im Park wurden Steinzeitfunde zu Tage gebracht — den Ethnologen Stucken die Menschen der Gegenwart. Im *Saalecker Skizzenbuch* finden wir Zeichnungen von Charakterköpfen, die Schultze-Naumburg nicht zu Unrecht ‚Agricola‘ betitelte. Stucken porträtierte die Landbevölkerung von Saaleck, einen Bauern, den Gemeindediener, den Zimmermann, eine junge Bäuerin (Abb. 2—5).

Das germanisch orientierte Schönheitsideal Schultze-Naumburgs kam der Ideologie der Nationalsozialisten entgegen. Saaleck wurde in den frühen zwanziger Jahren mehr und mehr zum Treffpunkt der Parteiführer. Stucken fühlte sich in Saaleck deplaciert, nicht nur der jüdischen Abstam-

SAALECKER SKIZZENBUCH
VON
EDUARD STUCKEN

Abb. 3

Abb. 2

Abb. 4

Abb. 2–5   Zeichnungen Stuckens aus dem *Saalecker Skizzenbuch*,
1922: *Ein Bauer; Der Gemeindediener; Der Zimmermann; Junge Bäurin.*

Abb.5

Abb. 6   Stucken und Frau Ania im Kreise der Hausgenossen in Saaleck, 1923; Stucken stehend, Vierter von rechts, Frau Ania vorn Mitte, p. 75.

mung seiner Frau wegen. Seine Besuche wurden auch nach dem Tode Frau Anias 1924 seltener. Ein Unglück, das die Familie Schultze-Naumburg betroffen hatte, brachte die alten Freunde menschlich wieder näher. Doch es stand zu viel zwischen ihnen, und im Jahr 1930 konnte die versöhnende Geste Stuckens, sich am Grab seiner jüdischen Frau in Saaleck nochmals zu treffen, Schultze-Naumburg kaum noch erreichen. Der Bruch war endgültig.

Der Verzicht auf Saaleck schmerzte Stucken; denn sein Leben und Schaffen sind eng mit dem geliebten Thüringer Platz verknüpft. An Saaleck denkt man bei der Beschreibung der Park- und Gartenszenen in seinen Dramen und Romanen. Der alte Burggarten war Schauplatz von literarisch und künstlerisch inspirierten Kostümfesten, wie Stucken sie mit ausführlicher Liebe fürs Detail in seinem Shakespeareroman und in seinem italienischen Renaissance-Roman schildert. Die gelöste Atmosphäre von Saaleck behagte ihm, zumal den Stuckens ein Gartenhaus als Domizil zur Verfügung stand, so daß sich der Dichter nach Belieben in seine eigene Schale zurückziehen konnte (Abb. 6 u. 7).

In Saaleck starb auch Frau Ania. Im Winter 1924 war sie bei Glatteis in Berlin auf der Straße gestürzt. Ein damit verbundener Schlaganfall wurde nicht diagnostiziert. Ihr Zustand schien sich zu bessern, und man reiste wie gewöhnlich zum Sommeraufenthalt nach Thüringen ab. Stucken berichtet an den Freund Felix Braun aus Saaleck: „So lebten wir beide im hoffnungsvollen Irrtum dahin, die völlige Wiederherstellung könne nicht ausbleiben. Sie war von einer abgeklärten (gewiß nicht gespielten) Heiterkeit bis zuletzt. Nie fehlte ihr ein überlegenes Scherzwort. Es ist ja für mich ein Trost, daß sie ohne Qualen zu leiden, ohne Todesgedanken, hoffnungsfreudig und gänzlich ahnungslos vom Tode überrascht wurde" (2. 9. 1924).

Bei der Totenfeier weigerte sich der protestantische Pfarrer, die Einsegnung der Jüdin vorzunehmen. Frau Anna Stucken, damals noch Anna Schmiegelow und als Erzieherin der Kinder Schultze-Naumburgs auf Saaleck bei der Beisetzung anwesend, erzählte mir, daß der sonst so öffentlichkeitsscheue Stucken den Repräsentanten der Religion der Liebe mit flammenden Worten angesichts der Trauergemeinde und des Sarges von dannen jagte.

Verloren saß Stucken in seiner Berliner Wohnung, wo ihn alles an die Gefährtin langer Jahre erinnerte. Die Hilflosigkeit des Mannes und auch ein wenig sein Egoismus sprechen aus einem Gedicht, das er wenige Wochen nach dem Tode Frau Anias schrieb; auch der Gedanke der Selbstrechtfertigung für einen möglichen Schritt klingt leise an, das Recht des Überlebenden.

Abb. 7   Gartenhaus in Saaleck, Sommerdomizil Stuckens, p. 75.

Die Stimme
28. 9. 1924

Am Fenster prasselt der Schauer,
Im Ofen wimmert's und stöhnt.
Sind Geister dort auf der Lauer?
Wird meine heilige Trauer
Vom Pfiff der Windsbraut verhöhnt?

Jetzt unterscheide ich Stimmen,
Und eine strahlt wie ein Licht,
Das fern ist, matt, im Verglimmen,
Und übertönt doch den grimmen
Aufschrei des Herbststurms und spricht:

Ertrage, was uns beschieden!
Schau, Lieb, ich gab ja und gab;
Bin heiter, beglückend verschieden —
Nun gönne Rast mir und Frieden
Unter der Linde im Grab!

Wozu in Gram sich versenken,
In Wunden wühlen wozu?
An unser Glück mußt du denken!
Ich legte mich, müde vom Schenken
Zu Bette . . . Gönn mir die Ruh!
(Die Insel Perdita)

Zum erstenmal allein machte Stucken eine Reise nach Dresden zu den Proben für die Uraufführung seines Gralsdramas *Luzifer*. Dieser erste Theatererfolg ohne Ania war auch Stuckens letzter. Für den sechzigjährigen Dichter scheint der Abend des Lebens angebrochen. Es bleibt ihm nur noch das abschließende Fazit. Da erblüht ihm noch einmal das Wunder der Liebe und somit der Hoffnung.

Stucken als Mitglied der Akademie der Künste zu Berlin, 1929.

Abb. 1   l.n.r. sitzend: Hermann Stehr, Alfred Mombert, Eduard Stucken, Wilhelm v. Scholz, Oskar Loerke, Walter v. Molo, Ludwig Fulda, Heinrich Mann; stehend: Bernhard Kellermann, Alfred Döblin, Thomas Mann, Max Halbe.

Abb. 2   l.n.r.: Thomas Mann, Ricarda Huch, Bernhard Kellermann, Hermann Stehr, Alfred Mombert, Eduard Stucken, mit Rücken zum Fotogr. r.n.l.: Walter v. Molo, Ludwig Fulda, Heinrich Mann, unbekannt; Foto: Erich Salomon.

Abb. 3 Karikatur der Akademiemitglieder von Martin Keser, Stukken mit der Mandoline, *Die Literatur* (1930).

17 „Was in mir fortstrahlt, lebt"

Die Einsamkeit in Berlin wurde zur Weihnachtszeit unerträglich. Stucken fuhr darum Weihnachten 1924 nach Saaleck. Dort befand sich Anias Grab. „Eigentlich wollte ich bloß den Weihnachtsabend hier verbringen, bin aber doch länger geblieben", schreibt er an Felix Braun; denn in Saaleck lebte auch Anna Schmiegelow. Noch heute, wenn man ihr gegenübersitzen darf, versteht man, daß Stucken in dieser hochgewachsenen Frau mit den gütevollen blauen Augen sein Ideal erblickte. Im dichten weißen Haar schimmert ein Hauch von Blondheit. Menschliches Verständnis und Wärme spürt man und eine ganz eigene Heiterkeit des Herzens.

Stucken warb um Anna. „Natürlich hatte ich ihn seit unserer ersten Begegnung vor sechs Jahren bewundert und ,angeschwärmt', so sagte man wohl damals, wie ein junges Mädchen eben einen Dichter bewundert. Aber ihn als Mann zu sehen? Der Gedanke wäre mir nie gekommen, war er doch über dreißig Jahre älter", so Frau Anna.

Die Verlobung fand am 18. März 1925 in Saaleck statt, an Stuckens sechzigstem Geburtstag, zu einem Zeitpunkt, als sein Dichterruhm im Zenit stand (Abb. 1—3). Der Gralsband war 1924 als erstes Buch der geplanten Gesamtausgabe herausgekommen, *Lucifer* gerade in Dresden als beachtenswertes Theaterereignis über die Bretter gegangen. Vor allem galt Stucken in diesen Jahren als der Erfolgsautor der *Weißen Götter*. Heute würden wir diesen Roman einen Bestseller nennen. Es war keineswegs verantwortungsloser Egoismus, als der verwitwete Dichter die Mai-Dezember-Ehe mit Anna Schmiegelow im Herbst 1925 einging (Abb. 4). Viele Briefe Stuckens und Frau Annas Berichte zeugen vom Glück der jungen Gemeinschaft: An Anna:

Ich liebe Dich! — wenn ich's Dir sage, neigen sich Engel nieder, lächeln, tanzen, geigen.
Mein Leben hat Dein Strahlenblick verschönt; Öd war die Welt mir, die nun blüht und tönt.
(Abb. 4)

Abb. 4 Stucken mit seiner zweiten Frau Anna, geb. Schmiegelow, Berlin 1925.

Aber es wurden keine leichten Jahre. Durch die Russische Revolution hatte Stucken sein persönliches Vermögen verloren, und das Fallieren des Reiß-Verlages brachte ihn um den Ertrag seiner schriftstellerischen Tätigkeit. Die Geldnot bedrückte Stucken seelisch und körperlich. Er wurde von psychosomatischen Krankheiten heimgesucht. Freunde, wie Walter von Molo, Oskar Loerke oder Jakob Wassermann, die Stucken in einer Nervenkrise sahen (Brief an von Molo 31. 10. 28), suchten Hilfe für die darbende Familie zu erlangen. Bitter müssen dem einst so wohlhabenden Stucken die vielen demütigen Dankbriefe an Dr. Heinrich Lilienfein, den Generalsekretär der Deutschen Schillerstiftung geworden sein. Kein einziger Bittbrief befindet sich darunter. Sein Stolz bäumt sich auf, Eduard Stucken, der hanseatische Kaufmannssohn, der Patrizier, der Mann, der berühmte Dichter,

Abb. 5   Stucken mit Sohn Tankred, 1932.

als Almosenempfänger! In den letzten Lebensjahren nahm die Finanzlage verzweifelte Formen an. Die weiteren Roman-Veröffentlichungen trugen ihm Achtungserfolge aus den Reihen der Autoren-Kollegen ein. Der Gelderlös blieb minimal. Einzig in Gedanken an seine kleine Familie überwindet er seinen Stolz: „Ihre Zeilen, die ich nimmer erwartet hätte, haben mich tief bewegt. Es ist für mich nicht leicht, Pflichtgefühl gegen die Meinen und Stolz in Einklang zu bringen. Da Sie — nicht abgeschreckt durch meinen Brief vom April — noch einmal anfragen, will ich es ehrlich gestehen: es geht mir zwar besser, doch es geht mir noch nicht gut. An meiner Frau und meinem Kinde würde ich ein Unrecht begehn, wollte ich die mir sich entgegenstreckende Hand nicht dankbar ergreifen", Brief an Lilienfein, 26. 8. 1927.

Das tiefe Gefühl, das ihn mit Frau Anna verbindet, feit ihn gegen Mißhelligkeiten. „Sind wir auch arm wie Kirchenmäuse, fühlen Anna und ich uns doch reicher als mancher

Nabob", schreibt Stucken den Eltern Annas, 19. 3. 1928. Zu dieser Zeit war ihm auch ein Glück beschert worden, das er nicht mehr zu erhoffen gewagt hatte. Am 8. Juli 1926, in einem Alter, in dem sich gewöhnlich der Mann mit der Großvaterrolle begnügt, war Stucken Vater seines ersten und einzigen Kindes geworden, des Sohnes Tankred. Beglückt und dankbar singt er *Der Mutter Tankreds:*

Mutter meines Kindes, gute, treue!
Himmel strahlt in deiner Augen Bläue,
Engel seh ich knien in deinem Lächeln,
Betend knien, mit Engelsflügeln fächeln (Abb. 5).

Sie ist ihm sein getreuer Eckart, sie hat ihn auf wunderbare Weise zum Leben zurückgeführt, als er schon beinahe dem Totenreich zugehörte. Sie hat ihm eine Wiedergeburt ermöglicht, an die er schon lange nicht mehr glaubte: „Hast mein Kind — (das bin ja ich!) — geboren."

Abb. 6   Eduard Stucken mit Frau Anna und Sohn Tankred, 1933.

An Anna

Hell wie Mondglanz Wald und Feld beschneit,
Bringst du Licht in meine Einsamkeit.
Mond bist du, auch Frührot, Morgenwind — :
Nachtspuk scheucht der junge Tag, dein Kind.
Unser Sonnenkind . . ist's deins? ist's meins?
Lies in seinem Blick: wir drei sind eins! (Abb. 6).

Abendstunden

Des Zeigers Schatten schreitet
Durchs Ziffernblatt, er gleitet
(Wenn Nacht die Flügel breitet)
Vom Rand der Sonnenuhr.
Nicht kann ich mit den Händen
Den Schatten rückwärts wenden —
Er muß den Weg vollenden:
So heischt es die Natur.

Doch Schritte rückwärts lenken
Kann Liebe: sich verschenken
An Bleichendes; gedenken
Der Klänge, die verschwebt;
Der Rosen, die am reinsten
Geduftet; und der kleinsten
Goldfalterschuppen einsten; —
Was in mir fortstrahlt, lebt!

(Die Insel Perdita)

Bei aller äußeren Bedrängnis war Stuckens letztes Lebens-
jahrzehnt dank Frau Anna und dem Kinde Tankred von dem
versöhnenden Licht der Liebe überstrahlt, das ihm selbst den
Gedanken des Alterns zu akzeptieren erleichterte.

Immer von neuem stellte sich Stucken uns als „Spätling" vor, als den er sich selber bezeichnete, und so kam auch der Weltruhm erst spät zu ihm, durch seinen ersten Roman *Die weißen Götter*. Die Eroberung Mexikos durch die Spanier wurde in vielen Sprachen und in sämtlichen literarischen Gattungen dargestellt, bis zu Reinhold Schneiders Hörspieleinrichtung *Las Casas vor Karl V.* von 1966, das auf seinen *Szenen aus der Konquistadorenzeit* von 1938 beruht. In den Vereinigten Staaten sah man bereits eine Fernsehfassung der ‚Conquista'.

Stuckens Roman steht noch immer an erster Stelle unter all diesen Bearbeitungen des Themas. Darüber ist sich die Kritik einig. „Das unvergleichliche Riesenwerk erzählt den Zug der spanischen Soldaten, ‚der weißen Götter' (1918) unter Fernando Cortez' Führung in das innere Mexiko vom Tage der Abfahrt, am 18. Februar 1519, an bis zum Abschluß der Eroberung nach furchtbaren Blutbädern im Herbst 1521. Stucken erspart uns nichts von den Abenteuern, vom Glück und Ende des Cortez. Aber er begnügt sich zugleich nicht mit einfachem Chronistenbericht oder menschlich-seelischer Entschleierung der Geschehnisse, sondern geht weiter: das Reich des Goldes und der Schrecken, die Welt Montezumas, Mexiko selbst, erweckt er, getrieben von seiner Fernsehnsucht, zu neuem bleibenden Leben. . . . Stuckens *Weiße Götter* gehören ohne Zweifel neben die großen Epen der Jahrhunderte von Homers Odyssee, Vergils Aeneis angefangen über die mittelalterlichen Verswerke hin zu Grimmelshausen, Rabelais, Goethe, Gottfried Keller; sie umspannen eine versunkene Welt und erweckten sie zu dauerndem Leben. Wieviele Dichter können dies von sich sagen? "[1]

Das bekannteste Drama über den Untergang Mexikos wurde im ersten Kapitel erwähnt, Gerhart Hauptmanns *Der weiße Heiland*, veröffentlicht 1920. „Wenn es noch eines Gegenübers bedurfte, um die hohen Werte von Eduard Stuckens großem Roman *Die weißen Götter* (Berlin, Erich Reiß) darzutun, so ist dieses in Gerhart Hauptmanns neuestem Drama *Der weiße Heiland* erstanden. Der Dramatiker betont im Titel die ‚Phantasie'; aber wie nüchtern und farblos sind die Gesichte seiner Szenen im Vergleich zu der gewaltigen Wandeldekoration, die Stuckens Roman vor unsern geblendeten Augen aufrollt. Und der Epiker läßt den Dramatiker weit hinter sich in der Fülle der Gestalten, in der psychologischen Eindringlichkeit, mit der er die hundert Abstufungen des Empfindens und Wollens der verschiedenen Menschen bei dem einen gleichen Geschehen zerfasert. Und während Hauptmann weltferne Geschehnisse benutzt, um einen billigen Standpunkt eigener Denkart zu umkleiden, ist Stucken ein echter Eroberer fremder Welten. So ist der Epiker hier Sieger geblieben und hat als Preis seiner Mühen uns eine große Dichtung geschenkt von so starker Naturkraft und so glänzender Könnerschaft, daß sie die Aussicht auf

eine lange Lebensdauer hat, wie sie nur ganz wenigen Romanen beschieden gewesen ist."[2]

Richard Friedenthal hält mit seinem Cortez-Roman *Der Eroberer* von 1929 einem Vergleich mit Stucken nicht stand: „Wer aber Stuckens *Weiße Götter* (Bände, zu denen man Zeit haben soll!) liest und dort aus tropisch verschlungenem Reichtum der Gestalten und Handlung den Totentanz einer Welt aufstehen und gespenstisch sich bewegen sieht, bis die phantastische Umarmung von Lust, Leid und Verderben eine einzige schwermutsvolle und schuldvolle Atmosphäre der Vergänglichkeit erzeugt, in der auch die Überlebenden im Innersten ermattet, verkerkert bleiben, der weiß vom Unterschied zwischen Dichter und Schriftsteller, zwischen Stucken und Friedental mehr als der Waschzettel des Inselverlags."[3]

Stuckens Roman wurde zum Welterfolg, weil er durch den Gegenstand das allgemeine Publikum fesselte und in seiner Gedankentiefe und vollendeten Darstellungskunst auch den anspruchsvollsten Leser befriedigte. Uneingeschränktes Lob spendeten dem nach Gerhart Hauptmann und Felix Braun „ohne Zweifel größten historischen Roman unserer Literatur" (s. p. 18 dieser Arbeit, Abb. 6) auch die Dichterkollegen; Moritz Heimann: „Stucken ist in die Quellen der Historik gegangen wie Flaubert mit seiner *Salambo*, und eine schier unerschöpfliche Phantasie hat hier die Bilder eines verglühten, verkohlten Lebens vor unser berauschtes Auge gemalt"; Hermann Hesse: „Es ist wundervoll, wie die oft unglaublichen und aufregenden Vorgänge erzählt sind. Die deutsche Dichtung hat solche Schöpfer seit langem nicht mehr gehabt"; Emil Lucka: „Der Dichter schließt hier eine neue Welt auf, die ihm nicht nur unsere Generation danken wird." Gottfried Benn schrieb am 12. 1. 1934 an den gemeinsamen Verleger von Zsolnay: „Ich wünsche Ihnen für die *Weißen Götter* allen Erfolg, ich bin wie Sie sehn werden, ein großer Bewunderer von Stucken." Und Kasimir Edschmid: „Was aber Stucken so bedeutsam macht, ist, daß er die ganze fremde Kultur aufgesogen hat, dichterisch durchglüht in aller Delikatesse und Leidenschaft, und von den Kriegerflottillen, den fabelhaften Palästen, den Dichter-Sehnsüchten und den geringsten Verzierungen eines Altarsockels, aus Weibernächten, Ehrenkodexen [sic!], alten Mythen, aus Sehnsucht der Menschen und der schweren Not ihrer Zeitlichkeit . . . daß er aus allem Umkreis dieser Welt ein Gebäude geschaffen hat, bei dem Tor und Ausklang, Spitze und Keller durchglüht und durchzaubert sind von einem Gefühl und einer Sprache, die sie förmlich manchmal neu sich schafft. Diese ganze Welt Montezumas ist so im Autor aufgegangen, daß sie so sehr Substanz seiner Seele geworden ist, daß sie seine Welt, das Selbstverständlichste auf der Erde, sein Atem, sein Herz geworden ist. Schließlich sind zehn Jahre Arbeit nicht wenig Zeit."[4]

Die Stoffülle bedrängt den Leser, dennoch ist das Buch kein Professorenroman. Der Freund Wolfgang Goetz, selber Schriftsteller, berichtet: „Zu diesem riesigen Epos, das rasch eine große Leserschaft fand, hatte Stucken subtilste Studien

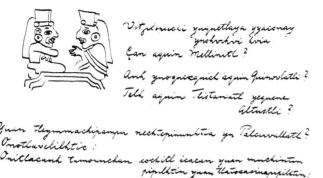

Abb. 1   Brief mit Zeichnung im aztekischen Nahuatl von Stucken an Wolfgang Goetz, p. 82.

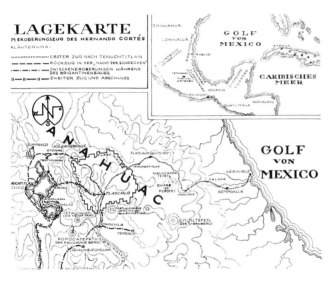

Abb. 2   Lagekarte vom Eroberungszug des Hernando Cortés von Stefan Potocki, auf dem Vorsatzpapier der Ausgabe der *Weißen Götter* für Die Deutsche Buchgemeinschaft, Berlin, 1965, p. 82.

gemacht; wohl ist es ein Roman, aber einer, der allen wissenschaftlichen Zerreißproben standhält." „Bei den Vorarbeiten ... hat er allein achtzig Werke in der Ursprache gelesen, und ich besitze einen Brief von ihm, den er in der Sprache Montezumas abgefaßt hat [gemeint ist das aztekische Nahuatl] (Abb. 1). Man spürt nicht einen Hauch von Gelehrsamkeit in seinen Werken. Im Gegenteil: ich sprach ihm einmal entzückt von einer Szene in den *Weißen Göttern* und rühmte die dichterische Phantasie, die solcher Vision Gestalt gegeben habe. Da lachte er sein reizendes beschattetes Lächeln und sagte mir, daß es sich um eine historisch beglaubigte Tatsache handele, und holte irgendeinen spanischen Pater vom

Bücherbord, denn er war sehr gründlich und belegte seine Worte durch die Quellen." [5]

Teilweise hält sich Stucken direkt an die Quellen, gibt ihren Wortlaut in eigener Übersetzung wieder, und immer ‚stimmen' die geographischen und historischen Angaben (Abb. 2 u. 3). Seine Übertragungsversuche der aztekischen Namen wie ‚Axayacatl' mit ‚Kriegsmaske' bringen uns die Träger dieser unverständlichen Wortgebilde näher. Den indianischen Namen liegt ein ethischer Sinn zugrunde. Sie sind mit dem Charakter der Person verbunden, zu dem sie gehören. ‚Guatemoc', als Nachfolger Montezumas der letzte Aztekenkaiser, ist der stolzeste und berühmteste, aber auch der unnachgiebigste Krieger der Mexikaner. Guatemoc bedeutet ‚Herabstoßender Adler' (Abb. 11). Erst die christlichen Missionare verwandelten an einem Tag durch die zwangsmäßige Taufe die ‚Fliegenden Pfeile' und ‚Smaragd-Lingams' in tausend farblose Pedros und Annas. Das guatemaltekische Tanzschauspiel *Die Opferung des Gefangenen* (p. 55), das Stucken ins Deutsche übertrug, erkannten wir in seinem Kultritual als Vorstufe zu den *Weißen Göttern*. Aber auch der Sprachrhythmus des indianischen Werkes ging auf Stucken über. Der *Tanz der Quetzale*, der Federn, eine Erinnerung an den Gott ‚Quetzalcoatl', den Gott der gefiederten Schlange, wird noch heute in Mexiko aufgeführt (Abb. 4 u. 5). Stucken läßt das Tanzritual in den *Weißen Göttern* vor unseren Augen und Ohren erstehen:

O Palast, glitzernd von Quetzalen,
O Palast, meiner geliebten Vögel,
O Palast, rieselnd von Smaragden,
Nie werde ich aufhören, dich zu verschönen!
An ya, an ya! (I, p. 22).

Dichterische Kongenialität über Zeiten und Kontinente hinweg gehen in Stuckens Roman eine seltene Symbiose mit wissenschaftlicher Akribie ein. Die Pantomime der Opfertänze scheint „nichts anderes als eine dramatische Wiedergabe der Quiché-Sage in jener Form ..., die notwendig zu Stande kommen mußte, sobald die Mythenüberlieferung mit dem totemistischen Kulte sich verband", schreibt Wolfgang Schultz in seiner Einleitung zu dem Buch des Volkes der Mayas, dem *Popol Vuh*, von dem Stucken eine Ausgabe besaß. [6] Höhepunkt der Opferspiele war die Darbietung eigens zu diesem Zweck gemachter Gefangener. Montezumas Lieblingssohn fiel in einem dieser ‚Rosenkriege', die allein zur Einbringung von Opfersklaven für kultische Handlungen geführt wurden. Man legte die noch lebenden gefesselten Opfer auf den ‚Adlerstein' auf der obersten Tempelplattform, dem ‚Menschenwürgeplatz', im Heiligtum und schlitzte ihnen mit einem Obsidianmesser die Brust auf, um das Herz herauszureißen. Diesen ‚Edelstein' brachte man den Göttern in Anbetung dar (Abb. 5).

Menschenopfer kannten auch die alten Religionen des Abendlandes, aber die zehn trojanischen Jünglinge, die Achill eigenhändig als Sühneopfer auf dem Grabe des Patrok-

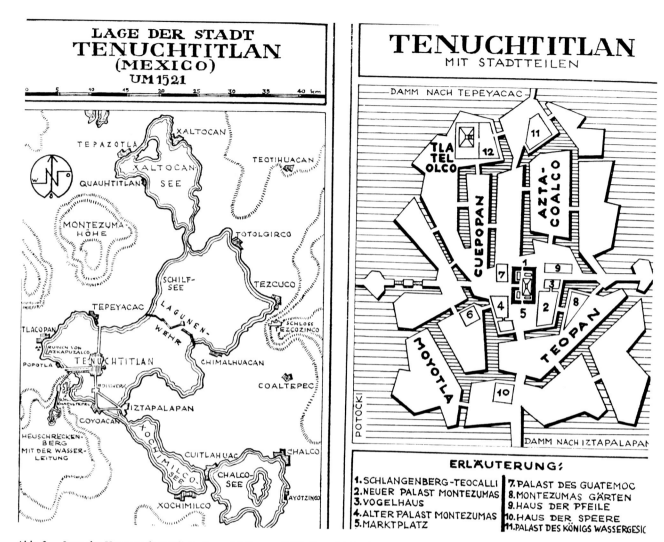

LAGE DER STADT
TENUCHTITLAN
(MEXICO)
UM 1521

0 · 5 · 10 · 45 · 20 · 25 · 30 · 35 · 40 km

TEPAZOTLA
XALTOCAN
TEOTIHUACAN
XALTOCAN SEE
QUAUHTITLAN
MONTEZUMA-HÖHE
TOTOLGIRCO
SCHILF-SEE
TEZCUCO
TEPEYACAC
LAGUNEN-WEHR
SCHLOSS TEZCOZINCO
TLACOPAN
RUINEN VON AZKAPUZALCO
TENUCHTITLAN
CHIMALHUACAN
POPOTLA
BOLLWERK
COALTEPEC
CHAPULTEPEC
IZTAPALAPAN
COYOACAN
XOCHIMILCO
HEUSCHRECKEN-BERG MIT DER WASSER-LEITUNG
CUITLAHUAC
CHALCO
CHALCO-SEE
AYOTZINCO
XOCHIMILCO

TENUCHTITLAN
MIT STADTTEILEN

DAMM NACH TEPEYACAC

TLATELOLCO
12
11
CUEPOPAN
AZTA-COALCO
7
1
9
4
5
2
8
6
MOYOTLA
TEOPAN
10
POTOCKI
DAMM NACH IZTAPALAPAN

ERLÄUTERUNG:

1. SCHLANGENBERG-TEOCALLI
2. NEUER PALAST MONTEZUMAS
3. VOGELHAUS
4. ALTER PALAST MONTEZUMAS
5. MARKTPLATZ
7. PALAST DES GUATEMOC
8. MONTEZUMAS GÄRTEN
9. HAUS DER PFEILE
10. HAUS DER SPEERE
11. PALAST DES KÖNIGS WASSERGESIC

Abb. 3   Lage der Hauptstadt Mexikos, Tenuchtitlan um 1521, Potocki, Rückseite, p. 82.

los der Seele des hingeschiedenen Freundes weiht, nehmen sich dürftig aus neben den Abertausenden von Menschenopfern, die alljährlich in einem wahrhaften Blutrausch in den aztekischen Tempeln dem Gott Huitzilopochtli zu Füßen gelegt wurden. Zur Einweihung des Schlangenbergtempels im Zentrum Tenuchtitlans, dem Mittelpunkt der Welt, wurden 1487 an einem einzigen Tage 20.000 Menschen hingeschlachtet. Weil sie ihre Kriegsgefangenen nicht opferten, betrachteten die Mexikaner die Spanier als Feiglinge: „Sie hatten keine starken Herzen" (I, p. 297). Unverständlich war diese ‚verweichlichte' Haltung den Mexikanern; denn ihren Ammen gab man, „wenn sie Knaben säugten, einen kleinen rubinroten Wurm zu essen, den Izcahuitl oder ‚Blutwurm' " (II, p. 301). Stoisch ertrugen die Indianer den Tod. Als Cortes (so die Schreibweise Stuckens) beim Einzug in die Stadt

Tezcuco vierzig weiße gegerbte Menschenhäute im Tempel entdeckte, lechzte er danach, sich an den Eingeborenen zu rächen. Seine Vergeltungsgelüste erkalteten beim Anblick der Scharen von Mexikanern, die sich zu einer freiwilligen Hinrichtung drängten, da sie sich einen prunkvollen, ehrenhaften Schautod versprachen.

Wie die vitaleren Azteken die weniger robusten toltekischen Ureinwohner Mexikos, die Chichimeken unterjochten, vertrieb ihr erbarmungsloser Gott Huitzilopochtli den milden einheimischen Quetzalcoatl, einen mythischen Gott oder Gottmenschen, der in Gestalt einer mit grünen Quetzalfedern geschmückten Schlange verehrt wurde. Den Römern gleich verstanden die Azteken, sich das geistige Erbe der Unterlegenen einzuverleiben. Sie verschmolzen ihre eigene Gottesvorstellung mit der toltekisch-chichimekischen, und wie

83

Abb. 4   Tanz der Quetzale, Cuetzalan, Puebla, Mexiko, Photographie von Luis Marquez Romay: Archaeological and Folkloric Mexico (Hrsg. Eugenio Fischgrund), (Mexico, D. F.: Isabel la catolica No. 30, o. J.), p. 82.

Abb. 5   Die Sonnenpyramide in Tenuchtitlan, s. Abb. 4, p. 82 (Quelle: Abb. 4).

Abb. 6

Glintenkamp

Abb. 7

Glintenkamp

Abb. 6–10   Holzschnitte von Hendrik Glintenkamp für *The Great White Gods.*

in Rom duldeten die Huitzilopochtli-Anbeter die Tempel fremder Götter neben sich. Selbst mexikanische Prinzessinnen gehörten zu den Adeptinnen des Federschlangengottes und wurden darum nach dem Auftreten der Spanier leicht dazu bewogen, zum Christentum überzutreten, zumal zwischen der Weltbefreiungslehre des Heilbringers Quetzalcoatl und dem christlichen Bekenntnis erstaunliche Parallelen aufzuzeigen sind. Quetzalcoatl war der Sage nach von einer jungfräulichen Mutter geboren (s. p. 23). Er war von hohem Wuchs, weißhäutig, bärtig, trug ein weißes, mit Kreuzen übersätes Gewand. Er verabscheute Menschenopfer und wollte den Völkern den Frieden bringen. Doch diese humane Philosophie gefiel den kriegsgierigen Priestern nicht, sie berauschten den Gottmenschen, verführten ihn, so daß er sich an seiner Schwester verging. Erwacht aus seinem Drogen-

rausch nahm er Abschied von seinen Getreuen und zog außer Landes.

Doch die Hoffnung auf seine Wiederkunft lebte im Volke fort. Prophezeiungen zirkulierten, „einst werde er wiederkommen mit andern weißen Gefährten, um wieder König über sein Volk zu sein" (I, p. 12). In abergläubischer Scheu empfing man darum die spanischen Eroberer und betrachtete Cortes als Quetzalcoatl. Selbst Montezuma wußte um die Prophezeiungen. Die Ankunft der Spanier erschien ihm als Menetekel. Montezuma ist ein widerspruchsvoller Charakter. Stolz und erhaben, ganz ‚der zornige Herr', wie sein Name es besagt. In gottgleicher Unfehlbarkeit herrscht er in absolutistischer Tyrannei. Die Ankunft der weißen Götter bringt seine eigene Göttlichkeit ins Wanken, erschüttert sein Selbst-

Abb. 8 *Glintenkamp*

Abb. 9 *Glintenkamp*

bewußtsein. Sorgen und Zweifel beginnen sich in seinem Innern zu regen, böse Träume plagen ihn. Er macht Pläne, verwirft sie, schwankt fatalistisch, besiegelt das Schicksal seiner selbst und seines Volkes. Das Ende Montezumas ist ein tragischer Höhepunkt in Stuckens Roman.

Dagegen stehen die Spanier, die Abenteurer. Als Söhne der Sonne, als weiße Götter, werden sie vom Volk als Erlöser von der Blutreligion empfangen. Geschickt macht sich Cortes den Messiasgedanken zunutze, obwohl er nur zu gut die wahren Beweggründe kennt, die seine Glücksritter zum Aufbruch nach Mexiko anstachelten, es ist eine Pilgerschaft zum Götzen Gold. Erst beim Anblick der entsetzlichen Opferriten werden Cortes und seine Landsknechte zu Kreuzrittern. Die Messiasidee hilft Cortes zum Durchhalten, als er an seiner Führerbestimmung zu zweifeln beginnt, angesichts der

Meuterei seiner Soldaten. Marina, seine indianische Geliebte, Dolmetscherin, Verräterin an ihrem Volk, sie läßt in seiner Seele den Glauben an die eigene Sendung des Heilsbringers nicht erlöschen: „Ich bin Quetzalcoatl — das habe ich nie so stark empfunden wie jetzt im Unglück" (II, p. 231). Und die Messiasidee, der Glaube an sich selber, hilft ihm zum Sieg.

Als wir Stucken in die Perspektive seiner Zeit stellten (p. 17), erkannten wir das starke übernationale Echo der *Weißen Götter* in der Fülle der Übersetzungen. Die englische Ausgabe *The Great White Gods* ist mit Holzschnitten des amerikanischen Künstlers holländischer Abstammung Hendrik Glintenkamp (1887—1946) ausgestattet, welche die kultische Lebensform der Azteken unterstreichen (Abb. 6—10).

Die Frage, die sich Stucken selber mit dem Titel seines Aufsatzes stellte, „Mußte ich *Die weißen Götter* schrei-

Abb. 10

Der herabstoßende Adler

von

 EDUARD STUCKEN

FELDPOST-AUSGABE

1942

KARL H. BISCHOFF VERLAG
Berlin · WIEN · Leipzig

Glintenkamp

Abb. 11   Titelseite *Der herabstoßende Adler* (Siebtes Stück der *Weißen Götter*), Feldpostausgabe 1942, p. 82.

ben?", beantwortet er bejahend; denn er fühlte sich für dieses Werk prädestiniert (p. 9). Ein Vierteljahrhundert vor den *Weißen Göttern* trug sich Stucken mit Plänen, den Untergang des letzten Inka dichterisch zu gestalten. Den Arbeitsplan gab er auf, aber eine Idee hatte sich festgesetzt. „Mein Liebäugeln mit diesem epischen Stoff wäre einer Erwähnung nicht wert, täte es nicht wieder dar, wie früh schon die amerikanische Vorzeit Besitz von meinem Gedanken genommen hatte. Wenn ich auch meinte, Wissenschaft zu betreiben, war im Grunde mein Gefühl diesen Dingen gegenüber ein dichterisches oder — um einen Ausdruck Freuds zu brauchen, ein ozeanisches, das heißt, ich hatte ein noch inhaltloses Sehnsuchtsgefühl nach einer unbekannten Ferne, einer Ultima Thule. Es war schon damals meine Überzeugung, Zentralamerika sei die Ultima Thule, von der die Alte

Welt einst eine dunkle Ahnung besaß. Die Hauptstadt der Tolteken — des ältesten, von den Chichimeken und Azteken nach Süden hin verdrängten Kulturvolkes — hatte Tollan oder Tula geheißen. Die Tolteken (Tuleteken) sind die Vorfahren der Mayas. Aber auch im nördlichen Südamerika, im westlichen Columbien leben die ‚Indios Tule'. Den Umwohnern des Mittelländischen Meeres hatte Ultima Thule ursprünglich Amerika bedeutet, bevor der Name auf Island übertragen wurde. Es liegt kein Grund vor, die Möglichkeit zu bestreiten, daß irgendwann ägyptische oder phönizische Seefahrer durch Stürme in die Neue Welt verschlagen wurden und das Glück hatten, in ihre Heimat zurückzufinden." Die Atlantiküberseegelungen Thor Heyerdahls im Papyrusboot Ra I und Ra II 1969 und 1970 haben Stuckens Hypothesen erhärtet. Der französische Anthropologe Jacques Marie de

Mahieu hat 1974 nachgewiesen, daß unter tausend Wörtern des Quechua und Aimara Dialektes von Indianerstämmen im heutigen Paraguay, die Mahieu untersuchte, über die Hälfte skandinavischen Ursprungs sind, daß es in der Gegend weißhäutige Indios gibt und daß Höhlenzeichnungen und Legendenbildungen seine Theorie unterstützen, wonach Wikinger, also weiße Götter, bereits vor einem Millenium und fünfhundert Jahre vor Columbus nicht nur Grönland und Nordamerika, sondern die westliche Hemisphäre in ihrer Gesamtlänge ansegelten.

Der Roman ist für Stucken aber nicht nur kolossales Kompendium der Geschichte, Erahnen mythischer Zusammenhänge aus dem Dämmer der Völker, ja, der Kontinente. Der Zusammenprall divergierender Kulturen und Weltanschauungen und die dabei entstehenden Spannungen faszinierten ihn, seit er sie in seiner Kindheit mit eigenen Augen auf den Straßen Moskaus zu bemerken und zu beobachten begann. Aus der Untergangsstimmung des Ersten Weltkrieges heraus schreibt er den Roman als Anklage und Warnung an eine brutalisierte, selbstzerstörerische Menschheit, die in jeder Epoche erneut sich selber vor die Wahl zu stellen scheint, sich selbst zu zerstören in sinnlos blinder Wut oder einen Waffenstillstand der Ko-Existenz zumindest zu versuchen. Was Stucken als Abschluß des uns bekannten Aufsatzes „Mußte ich *Die weißen Götter* schreiben?" bemerkt (s. S. 9), sollte uns aus heutiger Sicht noch viel tiefer berühren: „Ohne die Erschütterungen des Krieges hätte ich es mir nicht zum Ziel gesetzt, im Untergang Mexikos unsere Zeit und unser Schicksal zu spiegeln. Ob es mir gelang, mögen andere beurteilen. Aber vorgeschwebt hat mir ein Symbol: eine Art Götterdämmerung und Weltbrand, das Schreckensbild einer Kulturvernichtung, einer Kulturausrottung mit Stumpf und Stiel — wie sie seit Ninives und Ilions Fall immer wieder möglich gewesen ist und wohl immer auf Erden möglich sein wird."

Am Ende des zweiten Bandes der *Weißen Götter,* nach dem Untergang Mexikos, nach dem Untergang Marinas, der mexikanischen Geliebten des spanischen Eroberers, die Stucken das Gewissen des Cortes nennt, nach dem schimpflichen Untergang von Cortes selbst, heißt es: „Die mexikanische Göttin Ixcuinan, die 'Herrin der Lust und der Erde, verführte den Büßer Yappan. Als er sie umarmte, wurde sie zu Staub. Nichts, nichts behielt er von der Berückenden zurück als eine Handvoll grauen, sickernden Erdenstaub" (II, p. 543).

19 Der Erzähler

Wie in den *Weißen Göttern* gelangt die Endzeitstimmung von Stuckens Dekadenzphilosophie auch in den übrigen Romanen und Erzählungen zum Ausdruck. Die verneinende rhetorische Frage François Villons am Ende von Stuckens *Blizzard* „Mais où sont les neiges d'antan?", könnte über der gesamten Prosa Stuckens stehen, doch ist es ein Untergang in der Farbenpracht eines mexikanischen Quetzalvogels. In den Romanen und Erzählungen erblüht die Phantasie des Fabulierers Stucken noch einmal in exorbitanter Fulminanz. Frank Thiess sagt in seinem Erinnerungsbuch *Freiheit bis Mitternacht:* „Als ich Stuckens epische Prosa gelesen hatte, habe ich oft darüber nachgedacht, warum ein Dichter von so ungewöhnlicher gestaltender Phantasie nie den Platz eingenommen hat, der ihm gebührte. Offenbar waltete im Schrifttum das gleiche blinde Gesetz der Verschwendung wie in der Natur, wo keineswegs nur das Schwache untergeht, sondern auch das Starke und Lebensfähige, falls widrige Umstände die Grundlagen seiner Existenz zerstören. Stuckens Werke waren in jeder Hinsicht bedeutend und ein Prosa-Epos wie *Die weißen Götter* hätte den Leser über die Grausamkeit geschichtlicher Vollzüge belehren können. Aber wer es las, verstand es falsch, nämlich nur als ‚historischen Roman‘ aus versunkener Zeit."[1] Und Gerhart Hauptmanns Sekretär und Biograph C. F. W. Behl: „Die weißen Götter sind zu Recht sein bekanntestes Werk. . . . Drei weitere Romane Stuckens (*Lariòn, Im Schatten Shakespeares* und *Giuliano*) bewähren die gleiche Buntheit und Handlungsfülle. Sie sind wie alte Gobelins, deren köstlich reiches Figurengerank und -gewirk, manchmal nicht ganz leicht entwirrbar, doch als Ganzes einen bannenden Zauber von großer Geschlossenheit ausübt."[2]

Noch einmal fasziniert Stuckens Vielfaltigkeit. Die Kulturgemälde, glühend, gigantisch, sind ihm glänzend gelungen, und er ist sich dessen bewußt, wie eine Äußerung über seinen Roman *Im Schatten Shakespeares* bezeugt: „Weiß ich doch, daß ich mein reifstes Werk geschaffen, mein dichtestes und also am meisten durchdichtetes Werk. . . Aber ach! es ertrinkt jetzt bereits in der Flut der Neuerscheinungen, ist vielleicht schon eine Wasserleiche. *Barbara* von Werfel, *Columbus* von Wassermann, *Alexanderplatz* von Döblin, *Bruder und Schwester* von Leonhard Frank neben dem neuen Frenssen, Molo, Rudolf Herzog füllen die Schaufenster" (an Felix Braun, 17. 11. 1929).

Obwohl er selber seinen Romanen solch hohen Platz in seinem literarischen Werk beimißt, scheint ihm das Metier des Romanciers suspekt. „Wie ein Rutengänger wollte ich ja bloß auf einen verborgenen Schatz hinweisen; mögen andere ihn heben, — mir fehlte die Zeit, sehr tief zu graben. Es ist ja leider so, daß meine Verarmung — (einst war ich wohlhabend) — mir den Luxus, Wissenschaft zu treiben und Lyrik oder Dramen zu dichten, verbietet und mir nur erlaubt, für Geld Romane zu schreiben", entschuldigt Stucken seine Romantätigkeit, als er Rudolf Pannwitz ein Exemplar seines ethnologischen Beitrags *Polynesisches Sprachgut in Amerika und in Sumer* übersendet (17. 11. 1931), zu einem Zeitpunkt, als gerade die deutsche Romankunst mit Hesse oder Heinrich Mann einen Gipfelpunkt erreichte oder mit Thomas Mann, der in einem Schreiben an Paul von Zsolnay Stuckens *Weiße Götter* einen großen Roman und ein „großartiges Buch" nennt (10. 1. 1934).

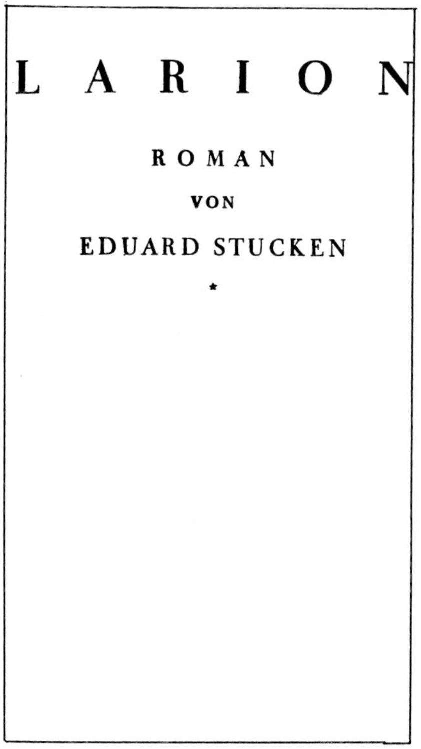
LARION

ROMAN

VON

EDUARD STUCKEN

*

Abb. 1 *Lariòn,* Titelblatt, 1926.

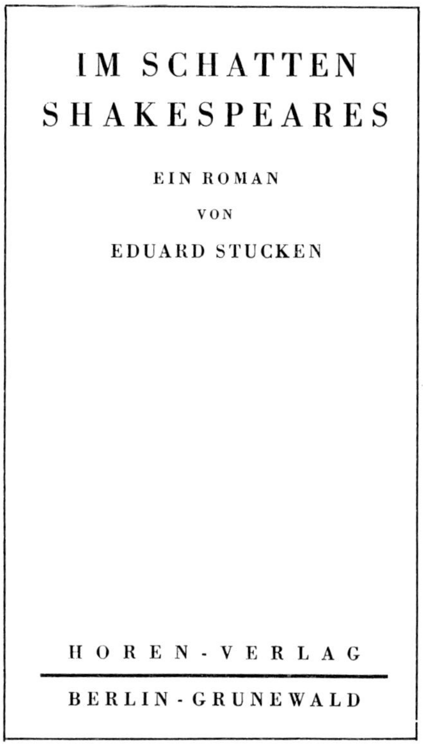
IM SCHATTEN SHAKESPEARES

EIN ROMAN

VON

EDUARD STUCKEN

HOREN-VERLAG

BERLIN-GRUNEWALD

Abb. 2 *Im Schatten Shakespeares,* Titelblatt, 1929.

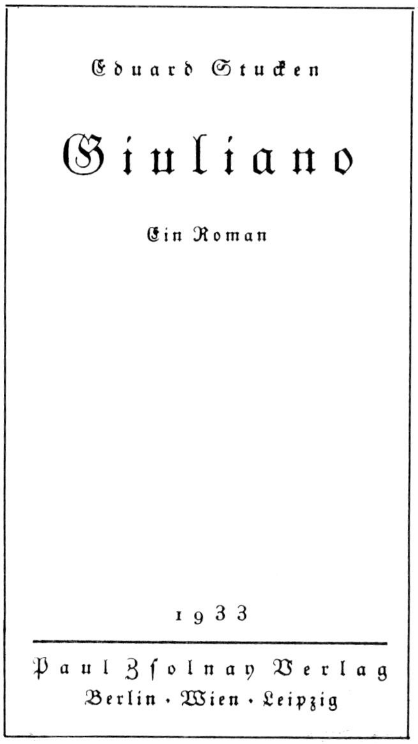
Eduard Stucken

Giuliano

Ein Roman

1933

Paul Zsolnay Verlag

Berlin · Wien · Leipzig

Abb. 3 *Giuliano,* Titelblatt, 1933.

Stuckens erzählende Prosa umfaßt die folgenden Werke:

1922 *Die weißen Götter*
1926 *Lariòn*
1929 *Im Schatten Shakespeares*
1933 *Giuliano*
1935 *Adils und Gyrid* mit *Ein Blizzard*
1937 *Die segelnden Götter,*
als einziges Werk posthum erschienen.

Jedes Erzählwerk eröffnet einen anderen Kulturkreis. Ein halbes Jahrtausend weiter in die Zeitentiefe als in den *Weißen Göttern* führt Stucken in *Adils und Gyrid,* ins Land der Wikinger, in die mythendunkle Frühe. „Der Weg zum Gral" brachte diese Erzählung näher, die Stucken selber hoch einschätzte: „*Adils und Gyrid* habe ich eben erst vollendet; und ich muß Ihnen gestehen (auf die Gefahr hin, daß es wie Affenliebe aussieht): mir ist dieses mein jüngstes Kind besonders ans Herz gewachsen. Ich frage mich, ob es günstig sein würde, zwei so verschiedene Pferde vor denselben Wagen zu spannen (d. h. beide Werke in einem Band zu veröffentlichen). Doch das werden Sie besser als ich beurteilen und entscheiden können." Die andere Erzählung, die Stucken in dem Brief an Zsolnay (23. 12. 34) erwähnt, ist *Ein Blizzard;* Stucken hatte sie drei Jahre früher verfaßt. Beim Studium von Stuckens Lebensgang erkannte man vor allem die Landschaftsbeschreibungen des Engadin und Italiens als Stimmungsbarometer des sensiblen Reisenden Stucken und – wie in *Lariòn* – das Milieu seiner Herkunft.

In einem Band vereinte der Verlag die beiden Erzählungen. „Der Dichter des großen Romans vom Untergang des alten Mexiko durch die *Weißen Götter* erweist auch in den vorliegenden zwei Erzählungen seine ungemeine Fabellust: die abenteuerlichste Handlung zieht den Leser am unzerreißlichen Faden der Spannung durch beide Geschichten. Die erste, die dem Buch den Titel gibt. . . Die zweite Erzählung: *Ein Blizzard* spielt in neuerer Zeit, geht auch über die Märchenpsychologie der ersten hinaus, ohne ihr an Erfindungslust und überstarken Effekten nachzustehen. Blizzard – das ist hier das Schicksal, ein jäher Schneesturm in den Straßen Londons, während dem von der Seite einer liebenden Mutter zwei blühende Töchter weggerissen werden zu verhängnisvollen Geschicken. Wer das Spannende der Handlung liebt, den Blick in die Unterwelt der modernen Zivilisation und überhaupt die starken Kontraste, der wird bei dieser technisch übrigens sauber gebauten Erzählung auf seine Kosten kommen, nicht aber der zartere, aus aller Lektüre ein Auferbauendes ziehende Sinn, dem die allzu gewürzten Wirkungsmittel Stuckens widerstehen müssen", schrieb Emil Barth 1935. Die Nerven des heutigen Lesers dürften durch die Schocktherapie moderner Autoren gestählter sein, so daß man guten Gewissens *Ein Blizzard* als aufregende Lektüre eines abenteuerlichen Melodramas goutieren kann, darüber hinaus als meisterliche psychologische Studie.³

„Auch der nächste Roman *Larìon* (Abb. 1), der 1925 erschien, war ein Meisterwerk, wenn auch nicht von jener Raumweite wie *Die weißen Götter*. Aber gewiß von ähnlicher symboltiefer Bedeutung für die Unheimlichkeit der menschlichen Natur und der menschlichen Schicksale. Rußlands Dämonie erhob hier ihr Haupt. Im Wesen einer Sekte. Der Skopzen, jener Fanatiker, die zu Ehren Gottes leibliche Selbstverstümmelung üben, um sich nicht mehr fortpflanzen zu können. Stucken breitet nun die Geschichte dieser grauenhaft-grausamen Sekte über die Jahre 1792 bis 1895 vor uns aus, von dem Jakobinerklub Georg Forsters im französisch-revolutionären Mainz bis zu einem berühmten Moskauer Sensations- und Mordprozeß, in dem ein hoher Aristokrat, der einstige Kosakenhäuptling Graf Woronin angeklagt, aber nicht überführt, wenn auch moralisch verurteilt wurde. Mit hoher Kunst blättert Stucken die geheimnisvollen Ereignisse langsam auf: Dunkel ruht zuerst um uns, und langsam lichtet sich diese düstere Nacht, bis wir am Schlusse völlig überzeugt im Banne des Geschehens und tief erschüttert sind. Die Handlung bewegt sich an der Geschichte des unfreiwilligen Skopzen Larìon und seiner schweren Buße fort. Sie erhebt sich zu einer seltsamen Offenbarung aller Schicksalsverstrickung in Liebe und Lust, zu einer dostojewskihaften Tragik von tiefster Seelenerkenntnis und zartester Lebensweisheit. Dabei bewährt der epische Künstler Stucken sich hier wieder als ein Magier der Form, mit deren Hilfe er unerahnte Abgründe der Erkenntnis erreicht. In diesem Roman enthüllt sich der Brunnen, aus dem der russische Bolschewismus unheimlich-unheilvoll slawisch-asiatisch strömt".⁴ Hans Martin Elster interpretiert den Bolschewismus auf Grund von Stuckens Roman nicht in der geläufigen ideologisch-politischen oder sozialkritischen Manier, sondern ethnisch, was den Völkerforscher Stucken wohl überzeugte; die Perspektive von 1930 erscheint außerdem in unseren Tagen im Licht der Negerfrage und von ‚la causa‘ der Chicanos in den Vereinigten Staaten auf einmal aktuell.

Die Presse reagierte im Erscheinungsjahr des Romans positiv: „Eduard Stucken ist in allen Werken, die er geschaffen hat, ein Meister der Form gewesen, und es gibt wenige deutsche Schriftsteller, die eine solche glänzend geschliffene Prosa schreiben wie er. Dies gewaltige Sprachkönnen macht auch die Lektüre seines stofflich merkwürdigen Romans zu einem Genuß."⁵ Dennoch fand *Larìon*, vermutlich wegen seines religionsphilosophischen Themas kein starkes Leser-Echo, um so bedauerlicher, da Stucken hier nicht nur eine erschreckend eindrucksvolle Vivisektion der Menschenseele vornimmt, sondern viele Charakteristika des ‚nouveau roman‘ erfolgreich anwendet, wie geschickte Oszillation des ‚point-of-view‘ oder Simultaneität der Handlungsstränge und Bewußtseinsebenen. Diese facettenhafte Erzähltechnik ist bei den gegenwärtigen Autoren von Alfred Anderschs *Sansibar* zu Max Frischs *Stiller* oder *Homo Faber* fast Gewohn-

heit geworden. Zur Zeit Stuckens war diese Tektonik zumindest ungewöhnlich.

Dieselbe Erzählstruktur eignet den beiden letzten Romanen Stuckens, *Im Schatten Shakespeares* und *Giuliano* (Abb. 2 u. 3). „*Im Schatten Shakespeares* vollzieht sich die große Schicksalswende Alt-Englands, und ein Abglanz Shakespearescher Gestalten und Situationen liegt auf dem Werke Stuckens selbst. Aber auch aus der Zukunft fällt ein Schatten gespenstisch und drohend über alle Geschehnisse dieses Buches: der Schatten vom Henkerbeil, das bald in Whitehall auf Karls I. Haupt niedersausen wird. Nur als Knabe begegnet dem Leser das zukünftige Opferlamm des in geistiger und seelischer Korruption entartenden Stuartkönigtums gelegentlich im Lauf der Handlung. Im Mittelpunkt steht die groteske Gestalt James’ I., seines Vaters, der — als Persönlichkeit wahrlich ‚kein Renaissancemensch‘ — doch die Laster eines Borgia mit der Charakterlosigkeit Neros in sich vereinigt und — ein ‚melancholischer Orang-Utan‘ und der ‚gelehrteste Narr Europas‘ zugleich — zum Totengräber des Merry Old-England wird. Die am reichsten und liebevollsten ausgestattete Figur des Romans ist der Bastard-Prinz von Wales, ein anderer Prinz Heinz und Liebling des einfachen Volks, die letzte, unerfüllt dahingehende Hoffnung einer versinkenden Kultur, und seine Geliebte, Prinzessin Arbella, die der König als Prätendentin in langer Gefangenschaft verborgen hält und schließlich vergebens zu seiner Mätresse zu machen versucht. Die Handlung, oder vielmehr die vielen kunstvoll durcheinander gewirkten Handlungen sind von einer starken, auch äußeren Spannung erfüllt.

Den eigentlichen Wert des Romans macht jedoch die Ausmalung des buntbewegten Hintergrundes aus: mit lüsternen Frauen, Narren, Staatsmännern, Magiern, Atheisten, Gifthexen, Rosenkreuzern, Lustknaben, Gespenstern und sogar einer Art Sherlock Holmes des 17. Jahrhunderts. Es ist schlechthin bewundernswert, mit welcher Detailkenntnis Stucken hier wiederum eine ganze Zeit, das Milieu einer längst versunkenen Kultur zum Leben erweckt hat. Und wie er zugleich die kommende Revolution der Puritaner, dieser ‚Maulwürfe, die das Grab für Shakespeares England gruben‘ und das neue England für Jahrhunderte prägten, kontrapunktisch hineinverwoben hat. Freilich leidet streckenweise die Plastik des Dargestellten. Es ist wie auf alten Gobelins, deren köstlich reiches Figurengewirk sich nicht immer leicht enträtseln und entwirren läßt, und die doch als Ganzes einen bannenden Zauber üben.

Man vergleicht Stucken vielfach mit Flaubert. Die Forscherexaktheit hat er sicherlich mit ihm gemein. Aber er ist romantischer und gleichzeitig barocker und dann wiederum pathetischer als Flaubert, so etwa in den beiden großartigsten Szenen kurz vor dem Ende des Romans, in der letzten Abrechnung des Prinzen Hal mit seinem Stiefvater und im Martyrium des zum Feuertode verurteilten Atheisten. Hier erinnert Stucken eher an den romantischen Pathetiker Victor Hugo".⁶ Die Gestaltenfülle beängstigt in der Tat, doch scharf profiliert bleiben selbst episodale Charaktere in der

Erinnerung haften, wie der von Behl erwähnte historische Master Legat, der 1611 wegen seiner häretischen Anschauungen den Tod auf dem Scheiterhaufen erlitt. Prinz Hal, dem es gelang, den Astronomen für kurze Zeit vor dem Hexenfinder Crew zu bewahren, fragt ihn, ob er tatsächlich Atheist sei:

„ ‚Die Dankbarkeit, gnädiger Lord, verbietet mir, meinen Lebensretter zu belügen. Wenn Serjeant Crew mich fragen würde, würde ich — sogar auf dem brennenden Holzstoß noch — stolz antworten: ja, ich bin ein Atheist!‘

‚Und was antworten Sie mir?‘

‚Es gibt so unendlich viele Götter, mein gnädiger Lord. Jedes Tier und jeder Mensch hat einen anderen Gott. Und kein Gott gleicht dem andern. Der des Serjeant Crew und meiner — was haben die miteinander gemein? So sternallgroß, so abgrundtief, so übergewaltig ist mein Gott, daß kein menschliches Wort sich mit meiner Vorstellung von ihm deckt — nicht einmal das Wort Gott!‘

‚Spricht so ein Atheist?‘ “ (p. 281).

Auch *Im Schatten Shakespeares* steht die Kulturgeschichte im Vordergrund. „Es ist nicht leicht, die Fülle der Personen und Ereignisse, von denen wir Kenntnis nehmen, zu übersehen, aber der Gesamteindruck, den wir durch diese Fülle des Stoffes bekommen, ist um so stärker. So sehr wir an das alte, fröhliche England der Dramen Shakespeares erinnert werden, so unaufhaltsam geht es doch dem Verfall, dem Ende zu. Die Hofgesellschaft, das Königtum bereiten sich selbst das Grab. Unerfreulich ist dieses Treiben der katholischen Puritaner, Presbyterianer, grauenhaft das Spiel der vornehmen Familien des Landes, für die Ehebruch, Verrat, Mord nichts bedeuten, lasterhaft das Beispiel, das der homosexuelle König und die arge Königin dem Volke geben. So echt und wahrheitsgetreu ist dieser Sittenspiegel, daß man Bedenken haben kann, ihn der Jugend zu zeigen, aber um so mehr sollte der Erwachsene in ihn blicken.“[7] Mag man die Gefährdung der Jugend durch einen Bildungsroman im Zeitalter von *Hair* weniger befürchten, Stucken watet tatsächlich in Perversionen. Um die Verderbnis des Stuart-Englands, vor allem die Monstrosität des Königs James I. zu demonstrieren, häuft Stucken Exzess auf Exzess mit einer Hyperbolik, die an Hans Henny Jahnns *Krönung Richards III.* erinnert. Jahnns Drama erschien 1921, einige Jahre vor Stuckens Roman. Auch für den historischen, und darum für den James des forschungstreuen Stucken, gilt, was Paul Pörtner über König Richard sagt: „Die Grenzen der Person sind überschritten in der menschlichen Ungeheuerlichkeit Richards.“[8] Stucken profiliert hier so scharf, daß das Charaktergemälde zur Fratze wird, die Figur des Königs zur Groteske.

Untergangspoesie ist also auch dieses Werk Stuckens, der Kritik nach „an essay on the irony of history“.[9] Der Titel der englischen Übersetzung *The Dissolute Years* bringt dies eklatant zum Ausdruck. „*Im Schatten Shakespeares* prunkt und dunkelt dieses unheimlich-schöne Bild einer Zeit. Wie in seinen *Weißen Göttern*, jenem Epos eines Volkes, dessen Fülle der Zeit Tod und Untergang hieß, das uns heute noch bezaubert schon durch seinen Namen, so ist auch hier Stucken ein Meister der epischen Gewalt. Sie rauscht aus ihm wie Blut, wie jenes der Menschen, die er beschwört. Noch einmal tanzt der hemmungslose Renaissancemensch, der sich selbst nicht beherrschte, der von seinen Trieben unterjochte, auf seinem Grabe. Es ist die Zeit vor seinem Untergang, da in England durch den Puritanismus die beispiellose Umgestaltung eines ganzen Volkes vor sich ging, die sein Herrschertum über die halbe Welt begründete. Ein heißes, sinnenfrohes Antlitz tauchte es ins heimatliche Meer, und kalt wie das Meer kam es wieder herauf. Shakespeare legte seinen Zauberstab nieder, Caliban war da.

Eine große Dichtung hat uns Stucken hier geschenkt, so farbig und schillernd wie tief und hinreißend. Die Hand, die diese Fülle von Schicksalen und Menschen ausstreut, hält sie auch meisterlich zusammen.“[10]

Durch den jungen Prinzen Hal hofft der französische König Heinrich von Navarra, seine Idee einer ‚République Chrétienne‘ nach Großbritannien zu tragen. 1610 wird Heinrich IV. ermordet, und seine Träumereien eines religiös und politisch emanzipierten Europas bleiben bis heute Utopie; denn die gegenwärtige europäische Wirtschaftsgemeinschaft kann höchstens als materialistisch orientierte Vorstufe eines geeinten Europas gelten. Prinz Hal fühlt sich vernichtet. „Niedergeschlagen, niedergeschmettert, ging Prinz Hal umher, blaßwangig, hohläugig. Eine tiefere Seelenwunde als irgendeiner in den drei Königreichen trug er und mußte, wie sehr sie blutete, vor aller Welt verbergen. Ins Grab gesunken mit seinem heimlichen Freund war auch dessen Wunschtraum: la République Chrétienne... Er, der sonst in hellblauem Atlas ging, kleidete sich schwarz und kleidete auch seine Seele schwarz“ (p. 259).

Durch die Hamlet-Züge, die ihm Stucken verleiht, wird die Lichtgestalt des Romans zum morris dancer, zum Totentänzer der paneuropäischen Vision. Die neue Deutung des Shakespeare-Dramas als Memento-Mori-Gedicht von Harry Morris bestätigt diese Gedankenassoziation Stuckens: „I was struck by similarities in the overall structure of the play to what might be called the timor mortis-memento mori lyric.“[11] Pestanzeigende morris dancers treten auch de facto in Stuckens Roman auf. Das Gesamtschicksal einer Zeit spiegelt sich im Schicksal des jungen Prinzen, „von dem ganz England neue Zeit erhoffte. Aber auch der geht unter in dem Chaos dieses orgiastischen Zeitalters ‚im Schatten Shakespeares‘. Stucken hat dieses Zeitalter im Roman beschworen, geleitet von intimer Kenntnis englischen Landes und englischer Geschichte, getrieben von einer Sturmflut brennender Phantasie, die alle Zonen menschlicher Seele auftut.“[12]

In der Renaissance spielt auch Stuckens letzter vollendeter Roman, dazu im klassischen Land der Epoche, in Italien. Es überrascht eigentlich nur, daß Stucken so lange zögerte, Italien zum Hauptschauplatz eines Werkes zu wählen, das Land seiner Sehnsucht, wo selbst der Alltag ‚zauberhaft‘ beginnt: „Graziös schreitende, holzbeschuhte Bäuerinnen

Abb. 4   Benvenuto Cellinis Büste von Herzog Cosimo I., Museo Nazionale, Rom, p. 92.

Abb. 5   Bronzino Monticelli, Ölbild von Don Garzîa de' Medici, Galleria Uffizi, Florenz, p. 93.

brachten Gänseeier, Täubchen und Winterrosen zum Markt in Körben, die auf ihren Scheiteln wiegend schwebten" (*Giuliano*, p. 29).

Und es muß das von Stucken so geliebte Florenz sein, die Stadt Botticellis und der Medici in ihrem höchsten Glanz. Während der Regierungszeit von Cosimo I. (1519—74) spielt der Roman des Herzogs, dessen persönliches Motto lautete ‚superabo‘, ich werden den Sieg davon tragen: „Er ist ein Fürst, wie Macchiavelli ihn gewollt hat, er ist der Tyrann von Florenz und war einst — das ist freilich ein Vierteljahrhundert her — ein blutiger Usurpator" (p. 122, Abb. 4). Benvenuto Cellini schuf die Büste des Herzogs. Ihm ist eine kleine, aber wichtige Rolle in Stuckens Roman zugedacht: „Die bedeutendste Gestalt in dem vorliegenden Buch scheint mir die des alten, vergessenen und einsamen Benvenuto Cellini zu sein, dessen Schicksal etwas von der Tragik des wirklichen Künstlers in einer solchen Zeit zeigt."[13] Stucken malt das

Porträt des alternden Künstlers mit großer Intensität. Bei aller Begabung übertraf Benvenuto Cellinis immenses Wollen doch sein Können, ähnlich wie Botticellis gigantischer Schöpferwille seine künstlerische Kraft überschritt, und der alternde Stucken mußte hier Vergleiche zu sich selber ziehen.

Als ‚Magnus Dux Etruriae Primus‘ wurde Cosimo gekrönt. Die Medici standen auf der Höhe ihres Ruhms, doch „die Krone, die nun über den ‚Palle‘ prangt, ist nichts als das Zeichen einer sterbenden Glorie", schreibt George F. Young in seiner Geschichte der Familie, *Die Medici*. Und auch Stucken erblickt die Epoche der Spätrenaissance als „eine bereits sterbende Kultur" (p. 9). *Der Triumph des Todes* ist gewiß, den der leichtfertige junge Kardinal Giovanni, ein Sohn Cosimos, nach Lorenzettis Bild im Campo Santo bei einem Fest in seinem Palastgarten sarkastisch-ironisch als ‚lebendes‘ Bild darstellen läßt. Nach Lorenzetti schuf auch

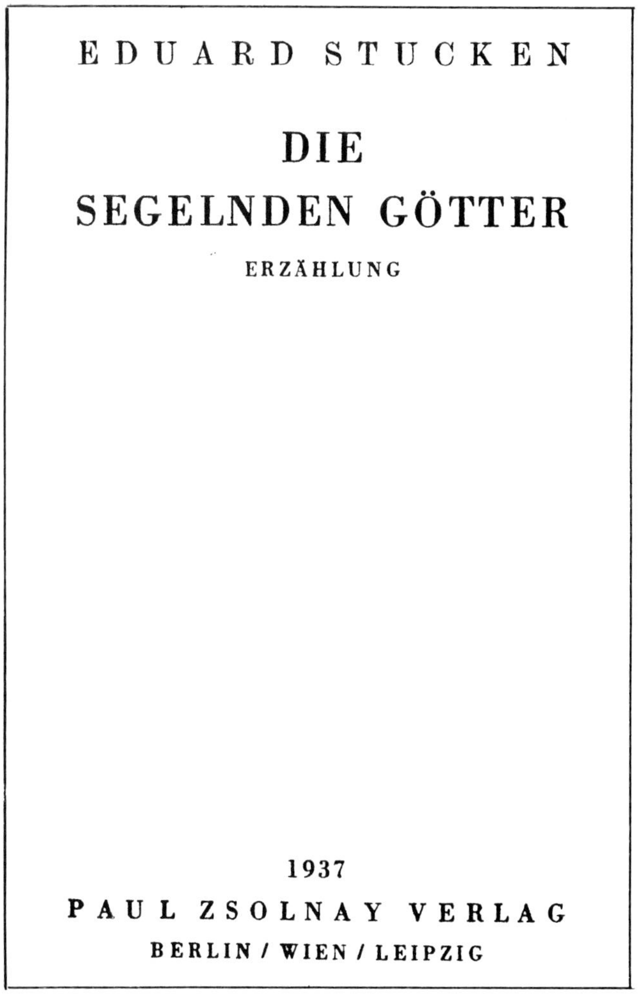

Stucken 1911 seinen gleichnamigen Romanzenzyklus, der in dem Band Romanzen und Elegien enthalten ist.

Aus Historie und Histörchen, Episode und Episödchen, empirischer Realität und poetischer Intuition spinnt Stucken ein anziehend verwirrendes Gewebe. Wohl überwuchern hundert Nebenhandlungen das Hauptgeschehen, und doch ist jedes Detail so plastisch herausgearbeitet, daß man es nicht missen möchte. Es gelang Stucken im *Giuliano*, „die seelischen Katastrophen einer so fernen Zeit so eindringlich wiedererstehen zu lassen, daß sie selbst den heutigen Leser zu erschüttern vermögen."[14] Man gewinnt den Eindruck, als habe Stucken ganz Florenz abkonterfeit, historische Persönlichkeiten, Archetypen, wie den asketischen Gelehrten oder den epikureischen Bürger, und natürlich alle damals lebenden Medici, den Lieblingssohn Cosimos, Don Gracia [sic!] „Und schon trat Don Gracia ein, rosig, blond, strotzend von Gesundheit; aber seine Knabenstimme hatte einen Sprung wie ein geborstenes Glas (S. 62). Dicht unterhalb der Anhöhe lag in einer Blutlache Kardinal Giovanni; und neben ihm kniete schluchzend Don Gracia, sein Bruder und Mörder (S. 354). Unseliges Kind, was hast du getan! Was hast du dir und mir angetan! Mir und deiner Mutter und deinem sanften Bruder!"(S. 363), (Abb. 5).

Um alle Medici spannen sich Geschichten und Gerüchte, Wahrheiten, Halbwahrheiten, Erfindungen, Legenden. Ein Romeo und Julia-Melodrama erzählt uns Stucken von Cosimos ältester Tochter Maria. Der herzogliche Vater selber stellte dem Mädchen nach. Maria jedoch schreckte vor der inzestuösen Begierde zurück, im Gegensatz zu Yrsa, die auch dann nicht von ihrem Geliebten Ragnar Lodbrok lassen konnte, als sie erfuhr, daß der Dänenkönig ihr Vater war. Wir erinnern uns an Stuckens frühes Drama. Maria Medici dagegen schenkte ihre Liebe dem jungen Pagen Malatesta Malatesti. Dieser tötete aus Versehen mit der Armbrust einen anderen Pagen. Er wurde eingekerkert, und die verzweifelte Maria, die mit Malatesta hatte entfliehen wollen, da sie, schwanger geworden, sich vor dem Zorn ihres Vaters fürchtete, starb an Abtreibung. Der Geliebte entfloh mit Hilfe seines Bruders, und die Familie Malatesti wurde zu Todfeinden Cosimos. „Unglaubhaft zu sein ist der Reiz aller Legenden" (p. 106).

Zusammengehalten wird der Roman durch die mysteriöse Titelfigur. Wer ist Giuliano? „Pulchinella hat keinen Namen. . . . Er nennt sich: Nemo. Also Niemand? Und Niemand fragt nach mir? . . . Wer bist du? Ich weiß es nicht, Principessa. Du kennst deine Herkunft nicht? Nein. . ." Aus dem Dunkel aufgetaucht, erklären politische Drahtzieher den fremden Unbekannten mit den Medici-Zügen als heraufbeschworenes Gespenst verschiedener Thronprätendenten, die Cosimo hatte aus dem Weg räumen lassen, damit er selber zur Macht gelangen konnte. Des Herzogs Feinde hoffen, durch Giuliano den verhaßten Tyrannen stürzen zu können.

Giuliano wehrt sich, als Racheinstrument gegen den Herzog zu dienen: „Was aus Haß gesucht wird, wird gefunden, auch wenn es das Falsche ist" (p. 121). Nachdem er indirekt

EDUARD STUCKEN

DIE
SEGELNDEN GÖTTER

ERZÄHLUNG

1937
PAUL ZSOLNAY VERLAG
BERLIN / WIEN / LEIPZIG

Abb. 6   *Die segelnden Götter,* Titelblatt, 1937.

den Tod eines geliebten Menschen verschuldet, ein sich wiederholt in seinem Leben ereignender Vorgang, flüchtet Giuliano in die Anonymität zurück, aus der er aufgetaucht, und wird als mystischer Asket zum Diener der Gezeichneten Gottes. Er wird Pestarzt. Erst fünfundzwanzig Jahre später im Epilog des Buches erfährt Giuliano selber und mit ihm der Leser seine wahre Abstammung. Er ist ein illegitimer Sohn Cosimos aus dessen Verbindung mit Bia della Tassinara, die der Duca aus staatspolitischen Gründen fallen lassen mußte, um die spanische Eleonora da Toledo zu heiraten, die in ihrer unnahbaren Kühle für den sinnenfrohen Medici wenig Verständnis aufzubringen vermochte: „Sie konnte sich nur mühsam aufrechthalten. Auf die Schultern zweier ihrer Kammermädchen, zweier junger Negerinnen, hatte sie ihre dürren Arme gelegt. Kein Tropfen Blut war in ihren Wangen und

Lippen. Ihr noch immer schönes Gesicht blickte alabastern, durchsichtig, totenblumenhaft aus einem schwarzen Zobelpelz hervor" (p. 58).

Es gibt eine Unzahl offizieller Porträts der Medici-Familie. Daneben kennt man die verhüllten Darstellungen als Randfiguren unter den Zuschauern auf Heiligenbildern oder als mythologische Allegorien und als sonstige Stifterfiguren. Von Giuliano existiert dagegen kein beglaubigtes Bild, und Stucken kann sein Botticelli-Ideal für seinen ‚Rex Seraphicus' beschwören; wie Botticellis *Primavera* bei der Beschreibung der Garten- und Kostümfeste des Romans Pate stand, so erkennt man in Giuliano die Gestalt des Botticelli-Jünglings. „Wie in Stuckens letztem Buch *Im Schatten Shakespeares* der Prinz Hal, so steht hier Giuliano von Medici fast als einziger lebendiger Mensch inmitten einer Welt der Larven, Masken, der krankhaftesten und hemmungslosen Leidenschaften und Laster. Die ganze Pracht und verwirrende Vielfalt der Lebensäußerungen der schließlich in sich zusammenbrechenden Spätrenaissance wird hier wiederum mit erstaunlicher Kenntnis und technischer Virtuosität abgebildet. Der Dichter selbst ist nur Medium der Vergangenheit. Wie ein in allen Farben leuchtendes Mosaik setzt sich aus lauter kleinen, scharf und prägnant gesehenen Einzelbildern das ganze Geschehen zusammen. Stucken ist der Meister des verschleiernden Dialogs, der breit angelegten und höchst kunstvoll und überlegen gestalteten Darstellung. Erst zum Schluß wird das Rätsel der Herkunft des in viele Länder und Lebensgebiete verschlagenen Giuliano gelöst. Aber da hat es für ihn schon keine Bedeutung mehr; er hat sich längst aus dem Hexensabbath jener Zeit zurückgezogen zu einem kleinen Volk, den Teufelsanbetern, in Asien, denen er als Arzt gegen Krankheit und Seuche in stiller, hingebender Arbeit sein Leben widmet. Und unaufdringlich aus wildem Geschehen herauswachsend, münden alle Fragen und Probleme in einer düsteren mythischen Deutung. Der Kampf zwischen Gott und Teufel war es, der hier wieder einmal gekämpft wurde (es gibt in keiner Dichtung Stuckens ein anderes Thema!), dessen Dualismus aber hier zum erstenmal in der Erkenntnis, daß die ‚Gottheit Allgüte und Allbosheit in sich vereine', gedeutet wird."[15] Wir sehen, daß Stuckens Romanwerk im gleichen gnostischen Synkretismusgedanken gipfelt wie sein Gralszyklus.

Im Mittelpunkt von Stuckens Romanen erglüht *Im Schatten Shakespeares* und in *Giuliano* die europäische Hochkultur vor dem Ausbruch des kultur- und kunstfeindlichen Fanatismus der Puritaner im Norden und der Inquisition im Süden des Kontinents. Diese Endzeitvision spannt Stucken in den weitgeschwungenen Rahmen der Vernichtung des Aztekenreiches in der westlichen Hemisphäre im Zusammenprall mit den katholischen Spaniern. Als Gegenstück zu den *Weißen Göttern* sind *Die segelnden Götter* (Abb. 6) aufzufassen. Aus der feindlichen Begegnung adverser Kulturkomponenten, hier der polynesischen mit den europäischen, also wiederum den christlichen, erwächst Stuckens trilogisch gegliedertes Untergangsepos der Menschheit.

Dem Titel seiner letzten Erzählung kommt eine ähnlich mythologische Bedeutung zu, wie den *Weißen Göttern*. Nach der Sage der Polynesier sind *Die segelnden Götter* Nachfahren des blauäugigen, blonden also weißen Himmelsgottes Tangaroa, der wie der aztekische Quetzalcoatl in grauer Vorzeit außer Landes zog. Diese Übereinstimmung in der Theogonie beider Völker wird von den Forschern zur Erhärtung der Hypothese von der Urverwandtschaft der Menschheitskulturen angeführt, so von Stucken in seiner wissenschaftlichen Abhandlung *Polynesisches Sprachgut in Amerika und in Sumer* und letzthin von Thor Heyerdahl und Jacques M. de Mahieu (s. S. 88). Polynesien gehört, wir erkannten dies bereits, zum ethnologisch linguistischen Studienbereich Stuckens, wie dies seine etymologischen Untersuchungen in der hier angeführten Arbeit bezeugen. Dabei interessiert den Dichter Stucken verständlicherweise die literarische Überlieferung der Südseebewohner. Durch die Forschungen seines Onkels Adolf Bastian über *Die heilige Sage der Polynesier* und *Die Samoanische Schöpfungssage* wurde Stucken zu der Überlieferung der Maoris geführt. Eine nachempfundene Übertragung der Maori-Idylle *Hine Moa* (1901) aus der frühen Schaffensperiode Stuckens kann als Auftakt zu den *Segelnden Göttern* und wiederum als Beispiel dafür gelten, wie Stucken sich gedankenweise ein Leben lang mit einem Thema befaßte.

Ein Heiligtum ist dieser Ort.
Blick um Dich, lausche meinem Wort.
Rings ist das Ufer felsumrandet,
Tief unten schäumt das Meer und brandet:
Hier, wo wir stehn, am roten Riff,
Ist Hinemoa einst gelandet,
Als sie bei Nacht und ohne Schiff
Die tiefe Meeresbucht durchschwommen.
Sie schläft hier; — Ruhe ihrer Seele!
Doch Du hast nie von ihr vernommen: —
So höre zu, was ich erzähle,

beginnt Stuckens *Hine Moa*, eine neuseeländische Sage in Versen.

Wie stets bei Stucken liegt den *Segelnden Göttern* ein weitgesponnenes und trotzdem festgeknüpftes Handlungsnetz zugrunde. Die ehemalige Londoner Schauspielerin Oriana hat sich durch ominöse Machenschaften zur Königin einer polynesischen Insel aufgeschwungen. Der Küsse ihrer braunen Sklaven überdrüssig, sucht sie den englischen Offizier John Morley einzufangen, der auf der Suche nach seiner schiffbrüchigen Familie die Südsee durchstreift. Bevor Morley Orianas Verführung erliegt, naht ein britisches Polizeiboot, um sie als Gattenmörderin zu arretieren. Oriana war mit einem Missionar verheiratet und auf diese Weise in die Südsee gekommen. Eines Tages war der Missionargatte verschwunden. Es stellte sich heraus, daß Oriana an diesem endgültigen Verschwinden des ihr lästigen Mannes nicht unbeteiligt gewesen war. Nun versucht sie auf einem Floß zu entfliehen in Gesellschaft des dazu gezwungenen Morley und des von Oriana verratenen Maori-Geliebten.

Der Epilog des Werkes bringt uns die Nachricht von der Erfüllung einer Prophezeiung, die ein polynesischer Zauberer einst Oriana machte. „Einer hat mir geweissagt, ein Hai werde mich verzehren" (p. 84). Die weitherzige christliche Missionarin opferte daraufhin im Haifischtempel dem blauen Haigotte Tekea ein Schwein, um gegen Eventualitäten gesichert zu sein, wie die zwischen Heidentum und Christentum schwankenden Wikinger in *Adils und Gyrid,* aber das Schicksal ereilte die Circe von Mangarewa dennoch. Zwar besann sie sich in höchster Not auf den Glauben ihrer Väter und flehte den Himmel an, doch die Richter der Tiefe wußten, „sie verdiente kein Mitleid". Mit dem sündigen Leib ging sie auch ihrer sündigen Seele verlustig. Sie „flog hinab in die purpurschwarze Finsternis, wo die schuldigen Seelen völlig und für immer vernichtet werden" (p. 120).

Darf man Stucken einen ‚homo religiosus' nennen, der lediglich vor dem in jedem organisierten Bekennertum schlummernden Fanatismus zurückschreckt? Ehrliches Ringen um ‚re-ligio' spricht aus seinem Schaffen. In jedem Erzählwerk taucht eine andere Glaubensrichtung auf, von der sarmatisch-phrygischen Verstümmelungs-Sekte der Skopzen in *Lariòn* bis zum abstrusen Rosenkreuzertum *Im Schatten Shakespeares*. Mögen sie noch so abwegig anmuten — in den *Weißen Göttern* zelebrieren die Huitzilopochtli-Priester Kannibalismus mit ihren Oblaten, worin das Fleisch von Menschenopfern verbacken wurde, da man die Opfer vor dem Schlachten zu Göttern erklärt hatte, erlangten die Kommunikanten durch diese Einverleibung der Gottheit ebenfalls Unsterblichkeit — Stucken spürt in seinem gesamten Werk synkretistischem Ideengut nach. Auch in *Giuliano,* doch legt Stucken hier stärkere Betonung auf den Dualismus, den Status quo der Gegenwart, in dem Gut und Böse unvereinbar, gespalten in zwei konträre Lager, erscheinen.

Neben Neuplatonismus, Amazonenmatriarchat und dem Assassinenkult begegnen wir in *Giuliano* der Arkansekte der Jeziden in Kurdistan. Diese Teufelsanbeter huldigen dem Melek-Tawu, dem König Pfauhahn, dem Symbol doch nicht Idol des gefallenen höchsten Engels, den der Schöpfergott dereinst rehabilitieren wird. Wir erinnern uns, daß Stucken Lucifer ebenfalls als gestürzten Engel sieht. Die Teufelsanbeter lehren „daß König Pfauhahn die Materie sei, Gott aber sei der Geist: der Allgeist, die Urvernunft. Ein ursprünglich edler, doch gefallener Engel sei König Pfauhahn; und seit seinem Abfall sei scheinbar die Welt in Materie und Geist

geschieden", sagt Stucken in *Giuliano* (p. 314) und an anderer Stelle: „In meiner Philosophie ist Astarte die Materie und die Gottheit der Geist" (p. 344). Letzten Endes entsprossen, in einer relativistischen Auffassung des Bösen, Gut und Böse einem gemeinsamen Urgrund. Stucken placiert die Vereinigung von Böse und Gut „ins Herz des höchsten Gottes Brahma". Das sind fast wörtliche Zitate aus dem Gralszyklus und ebenfalls aus dem uns bekannten Aufsatz Stuckens *Das dritte Reich*.

Stucken vertritt die Überzeugung, daß sich im Schicksal des Individuums seine ganze Zeit spiegelt, im Mikrokosmos der Leibnizschen Monade der Makrokosmos. Diese Ideengänge verfolgt zur gleichen Zeit auch Jakob Burckhardt in seinem *Cicerone*. Epochen und Menschen haben ihre Schicksale, denen der gleiche ontologische Rhythmus innewohnt, den Oswald Spengler in seinem *Untergang des Abendlandes* proklamiert. Aus dem diabolischen Menetekel läßt sich stets derselbe Verlauf ablesen. Dem silbernen Aufstieg folgen der goldglänzende Höhepunkt und der kupferrote Absturz, der den künftigen Weltbrand anzeigt, das chaotische Ende einer gesamten Kulturtradition. Entsprechend will Stucken am Schicksal des Herzogs Cosimo de' Medici den Untergang der Renaissance darstellen und darüber hinaus, in einer hintergründigen Parallele, am Verlöschen der einzelnen Perioden, den ewigen Rhythmus von Werden und Vergehen sämtlicher Kulturen der Menschheit, ob Abendland, ob westliche Hemisphäre, ob Ozeanien. Die Gesetzmäßigkeit allen Geschehens beruht nach Stuckens Meinung auf der immanenten Ordnung des Weltalls: „Der Mikrokosmos ist ein Abbild des Makrokosmos — das wußten bereits die Schreiber der Pyramidentexte. Eine Leibnizsche Monade ist ein Abbild des ganzen Menschen. Aber auch in jedem Menschen spiegelt sich das Schicksal seines Zeitalters und seiner Umwelt.

Wie Welten und Weltreiche, so haben auch manche Menschen ein silbernes, ein goldenes und ein kupfernes Zeitalter. Nicht immer sichtbar, schreibt die weiße Hand dem vom Glück Verhätschelten das ‚Mene-tekel-u-pharsin' an die Wand; und wörtlich übersetzt bedeutet das: ‚Silber-Mine' — ‚Gold-Sekel' — und — ‚kupferne Scheidemünze'.

Mag Hesiod das goldene Menschengeschlecht dem silbernen vorangehn lassen, mag am Euphrat und am Ganges aus einer silbernen Zeit sich die goldene läutern, — stets ist das Dritte, das von steiler Höhe Abstürzende: das kupferne Zeitalter", heißt es zu Beginn von *Giuliano*.

20 Die Parabel vom Falterflügelauge

Es mutet symbolisch an, daß Stuckens Endzeitroman *Giuliano* die letzte größere Veröffentlichung war, die der Dichter erlebte; denn obwohl in der Gedichtsammlung *Die Insel Perdita* viele bis dahin ungedruckte Gedichte enthalten sind, so liegt ihre Entstehungszeit doch zumeist um Jahre zurück, und selbst dieser Titel hat symbolische Bedeutung, *Die Insel Perdita,* das entschwundene Paradies der ewigen Jugend, der Lebenstraum, der sich im Nebel verflüchtigt hat wie die Fata Morgana der Insel der Seligen in dem Gedicht, das der Anthologie seinen Namen verlieh: *Die Insel Perdita* (1935).

Im gleichen Jahr, am 18. März 1935, feierte Stucken seinen 70. und letzten Geburtstag und fand noch einmal die öffentliche Würdigung, die man dem Dichter häufig erwiesen hatte und noch häufiger nicht erwiesen hatte. Die Dichterkollegen melden sich mit Glückwunschtelegrammen: „Dem Meister der unvergänglichen *Weißen Götter* und verehrungswürdigen Menschen viele viele Wünsche für weiteres Leben und Wirken. Gerhart Hauptmann." Die Schillerstiftung übersendet Stucken eine Geldspende im Auftrag des Oberbürgermeisters der Stadt Leipzig, Carl-Friedrich Goerdeler. Die Zeitungen erinnern sich seiner: „Eduard Stucken zum 70. Geburtstag (18. März)", C. F. W. Behl in der *Deutschen Allgemeinen Zeitung* am 19. März 1935 (Abb. 1).

Gemeinhin lebte Stucken während seiner letzten Jahre zurückgezogen in seiner Bücherburg. Wir wissen von den Krankheiten, die ihn heimsuchten: „Mitte Februar war ich dem ‚Heiligen Land' recht nah. Doch ein dreieinhalbstündiges Lungenbluten, an dem ich seltsamerweise nicht erstickt bin, hat wie ein Aderlaß gewirkt; seitdem sind meine Füße abgeschwollen und die Gefäßkrämpfe quälen mich nur noch selten. Bald hoffe ich, wieder arbeiten zu können. Noch habe ich die Hoffnung nicht aufgegeben, eine Renaissance meiner Dramen an den Theatern zu erleben", schreibt Stucken am 2. April 1935 in seinem Dankbrief an Ludwig von Hofmann, den Lithographen seines *Buches der Träume,* der ihm zu seinem Geburtstag einige Originalzeichnungen zu seinen Stucken-Gedichten übersandt hatte.

Um Frau und Kind mußte er bangen: „Meine beiden nächsten Angehörigen, meine Frau und mein Kind, kämpften wochenlang mit dem Tode. Mitte März war mein siebeneinhalbjähriges Söhnchen an einer lebensgefährlichen Lungenentzündung erkrankt. Nachdem die Krisis überstanden war, erkrankte — genau heute vor vier Wochen — meine Frau an einer noch viel schrecklicheren Lungenentzündung. Jetzt nachträglich hat mir unser Arzt gesagt, daß er seit Jahren keinen so schweren Fall zu behandeln hatte und selber nicht geglaubt habe, meine Frau retten zu können", schreibt Stucken an Costa, 25. April 1934.

Seine wirtschaftliche Not ist uns bekannt. Nach der unglücklichen Verbindung mit dem Reiss-Verlag hatte er endlich einen neuen Verleger gefunden. „Nur ein neues Werk kann ja meine sanft entschlafenen Bücher ins Leben zurückrufen, auferwecken... Der Horenverlag, wo ich vor einem

Vierteljahr nach stürmischer Fahrt gelandet bin, konnte es bisher nicht: er hat gute Namen und wenig Geld", heißt es in einem Brief an Felix Braun, 23. 6. 1929. Der endgültige Wechsel zum Zsolnay-Verlag ließ sich vielversprechender an. Paul von Zsolnay schreibt am 20. 12. 1934 an Stucken: „Ich möchte die Gelegenheit nicht vorbeigehen lassen, ohne Ihnen zu melden, daß ich bei Direktor Röbbeling vom Burgtheater für eine Wiederaufführung Ihres wundervollen *Gawân* eingetreten bin. Meine nachdrücklichen Bemühungen haben schon jetzt das Resultat gezeigt, daß das Burgtheater in seinem Programm die voraussichtliche Aufführung des Stückes ankündigt. Ich hoffe, daß die definitive Annahme nun bald erfolgen wird.

Es wird Sie sicherlich auch freuen zu hören, daß wir eine Anzahl Ihrer neuen Gedichte an Zeitungen versendet haben und überall viel Interesse dafür fanden." Bei Zsolnay werden *Die weißen Götter* wieder aufgelegt und als Neuerscheinungen *Giuliano,* Erzählungen, Gedichte. Tiefste Resignation spiegelt sich dennoch in Stuckens persönlicher Korrespondenz, genau wie in seinem Werk: „Der Stern ist versaust", klagt er in *Giuliano* (p. 404); der Jahrmarkt des Lebens erweist sich nicht nur am Lebensabend Giulianos als ‚vanity fair'. Der ‚morris dance', der Totentanz *Im Schatten Shakespeares* gipfelt in *Giuliano* im *Triumph des Todes,* den Stucken bereits 1911 zum Thema seines einzigen ‚Romanzenzyklus' wählte, für seinen Gedichtband *Romanzen und Elegien,* wie wir bei der Besprechung des Medici-Romans bereits sahen: „Den reinsten und persönlichsten Gehalt, ein Bekenntnis melancholischen Lebensgenusses, trägt der Zyklus *Triumph des Todes* durch seine Meditationen und Gleichnisse der ergreifendste, durch seine Reimverschlingungen der kunstreichste Teil des Buches."[1]

Sie sprach: Was mühst du dich? Damit
Im Werk du fortlebst? Mensch, nichts feit
Vor Rost! Dein Werk — wie bald durchschritt
es Tore der Vergessenheit! ...

Die Wolke schwand, — warum sie schwand,
Gleich Glück entschwand und Bitternissen,
Weißt du es, wenn des Todes Hand
Den dunklen Vorhang aufgerissen?
Und liegst du auf dem Sterbekissen,
Und kommt die Frage dir in Sinn,
Wirst du dann bald die Antwort wissen?
Wo kommst du her? Wo gehst du hin? ...

Wie Waldes Sturmlied klingt — nur greller —
Ins Ohr ein Ton, wenn Alters Last
Die innern Sinne schärft, wenn schneller
Die Stunden fliehn und Glück verblaßt.
Wer ist dann Wirt — und wer der Gast?
Es ist, wie wenn sich einer neige
Still über unsre Schulter ... Fast
Willkommen ist er mit der Geige.

Abb. 1   Stucken an seinem 70. Geburtstag, 18. März 1935.

Wie in Hofmannsthals *Der Tor und der Tod*, konzipierte Stucken seinen *Triumph des Todes* aus der gleichen Zeitstimmung der Dekadenz heraus. Eduard von Winterstein, dem Stucken es verdankt, daß seine Gralsdramen Zugang zu den Reinhardt-Bühnen fanden, berichtet in seinen Lebenserinnerungen, mit welcher Begeisterung ihn Stuckens Sprachrhythmus in seinem Romanzenzyklus zum Vortrag inspirierte.[2] Die Kritik eines Autorenabends Stucken hebt die Rezitation von Wintersteins hervor: „Auch der letzte Teil des Abends, die zwölf Stücke vom *Triumph des Todes*, fanden ungeteiltes Interesse und lauten Beifall, besonders weil ein so hervorragender Sprecher wie Eduard von Winterstein der Interpret war. Dichter und Verlag dürften mit dem Erfolge des Abends durchaus zufriedengestellt gewesen sein, nicht minder das Publikum, das den Saal der Singakademie bis auf den letzten Platz gefüllt hatte."[3]

Seit „Alters Last die innern Sinne schärft", hatte Stucken die Zeiten des Ungeistes Caliban mit seinem kultur- und menschenfeindlichen Fanatismus heraufziehen sehen: „Die wenigsten sahen den Abgrund, dem sie zutrieben. Und mochten manche wohl spüren, daß das Gefälle uneben wurde, so ahnten sie doch nicht, welcher Art der Schlamm war, der ans Licht der Sonne sich drängte" (*Im Schatten Shakespeares*, p. 173). Warnend hatte der Dichter auf den drohenden Untergang verwiesen. Als der Caliban seiner eigenen Epoche zum Sieg gelangte, war Stucken ein alter, kranker Mann in Sorge um die Seinen, die er schutzlos würde zurücklassen müssen. Es wäre leicht und billig, dem Werk Stuckens politische Motive unterzuschieben, *Giuliano* als Anklage gegen die totalitäre Machtwillkür, kaschiert im Renaissancekostüm, auszulegen. „Der furchtbare Duca" befiehlt „die Bändigung der jüngsten Generation, die Umwandlung junger Wölfe in zahme Hunde" (p. 42). Wer oder was sich seinem Willen widersetzt, wird auf grauenhafte Weise vernichtet, wie Land und Stadt Siena:

„Der mißhandelte Baccio . . . schildert seine zwanzigjährigen Leiden in der Rocca di Volterra, er bringt gräßliche Einzelheiten vor von den körperlichen Züchtigungen, mit denen brutale Wärter ihn gepeinigt."
„ ,Das ist Biagio della Campana, der Drogenhändler.'
,Der dem kleinen Giulio die Giftpille gab? '
,Ihm und dem Rothaarigen hatte Cosmo den Auftrag erteilt. Und dann ließ Cosmo beide foltern' " (p. 270).
Adils und Gyrid könnte als Märchenallegorie gegen Hitler gedeutet werden; das Buch erschien 1935: „Von allen Wikingern des 10. Jahrhunderts war der unmenschlichste der Seekönig Toko, der den Ehrennamen ,Schädelspalter' führte" (p. 11). Als Stellvertreter eines von seinen Truppen unterjochten Gaues setzt er Hop ein, einen tollen Hund, „der bellend Audienzen erteilte." In der Erzählung wird die Bestialität der Wikinger angeprangert, die ihren Herrscheranspruch auf ihrem Herrenrassentum begründen.

Stuckens ,Eskapismus in die Historie' kann als Folie gedeutet werden.[4] Dem steht entgegen, daß Stucken bereits in seinem Frühwerk tiefenpsychologischen Digressionen nach-

spürt. Wir verweisen hier unter anderen auf das Kapitel *War's meiner Seele Hölle. . . .* Im elften Stück vom *Triumph des Todes* heißt es:

Für Zauberei, Mord, Sodomie
Ward er verbrannt, — Gilles de Laval,
Sire de Rouci, Montmorency,
Craon et Raiz und Maréchal
De France. — Er lachte kalt und fahl,
Als sie um ihn Brandreiser rafften:
Nun frißt die Glut zum letzten Mal
Mein Herz, verzehrt von Leidenschaften!

In der *Indianischen Fabel*, ebenfalls aus *Romanzen und Elegien*, belehrt der Rabe die Hindin, daß sie zur wahren Andacht die Augen schließen müsse:

Da stieß er sie in den Abgrund. Darauf
Flog er hinunter und fraß sie auf.

Das Böse lauert in jedem, jederzeit bereit, hervorzuspringen. In *Giuliano* wird es auf den Nenner gebracht: Homo homini lupus, der Mensch ist der Feind des Menschen. Mir scheint, daß Stucken immer in der inneren Emigration gelebt hat, eben weil er kein Dichter einer augenblicklichen politischen Phase war, kein Verteidiger eines bestimmten Engagements des Tages, sondern er residierte in seinem Eigenreich der Phantasie, in dem sich eine furchtbare Wirklichkeit erbarmungslos spiegelte. Im Geiste erlebte und durchlebte er ihn ständig, diesen Untergang des Abendlandes, den alle Propheten seiner Zeit visionär voraussagten. Ein Warner wollte er sein. Aber wer liebt einen Warner?

Und der Warner selber, auch er sucht einen Ausweg. Stucken findet ihn im Synkretismus. Die synkretistische Panphilosophie ermöglicht es Stucken, nicht nur die Polarität von Gut und Böse zu akzeptieren, sondern aus ihrer Koexistenz die Idee der Toleranz herauszuschälen. Ich möchte darum die Betrachtung des Menschen, des Forschers und des Künstlers Stucken mit der ,*Parabel vom Falterflügelauge*' beschließen, die er dem mexikanischen Dichter-Gelehrten Feuer-Juwel in den *Weißen Göttern* in den Mund legt. „Er las:

Das Land der Sehnsucht, Tlillan-Tlapallan, suchend, schritt Unser Herr Quetzalcoatl über Gletscher. Da sah er im Schnee einen toten Schmetterling, dem war ein Flügel abgebrochen. Und Unser Herr legte den abgebrochenen Flügel auf seine Handfläche und fragte den treusten seiner Jünger:
,Was sieht dich an aus diesem Flügel? '
,Ein Auge', sprach der Jünger, ,ein vielfarbiger Spiegelfleck. . .'
,Seit mein Auge in dies Auge gesehen', sprach Quetzalcoatl, ,habe ich erkannt, daß niemand verdammenswert ist und niemand lobenswert.'
,O Unser Herr! was sieht dein Auge im Auge des Falterflügels? Mein Auge ist unwissend und sieht nur Farben ohne Sinn. Erkläre es mir!' bat der Jünger.

Da erklärte ihm Unser Herr den Sinn des Falterflügelauges. Er sagte:

‚Der schwarze, innerste Kreis ist der einzelne Mensch. Ihn umgibt ein blauer Ring: das ist die Hausgemeinschaft, die Sippe. Umkreist wird die von einem grünen Ring: das ist die Volksgemeinschaft, das Heimatland. Hierum legt sich ein gelbroter Ring, der führt den Namen: Menschheit. Und den letzten, weißen Ring nenne ich: den Gott von Tlillan-Tlapallan.'

‚Und warum, o Unser Herr, will dein Auge aus diesem Auge erkennen, daß niemand verdammenswert ist?' fragte der Jünger ungläubig.

‚Weil jedes Wollen und jedes Denken in einem dieser fünf Ringe steht', entgegnete Quetzalcoatl. ‚Und wer recht hat in seinem freierwählten Ring, hat oft unrecht in einem andern Ring. Und wer seinem Ring Gutes tut, tut oft eben damit Böses den andern Ringen. Könntest du das durchschauen, es gäbe für dich keinen Streit mehr auf der Welt und keinen Widerstreit, und auch keine Klage und keine Anklage mehr. Denn die fünf Ringe sind nichts für sich — sie sind bloß Teile eines Falterflügelauges. Und dies ist der reichste Fund und das tiefste Geheimnis, das ich mit mir nehme ins Land der Sehnsucht, Tlillan-Tlapallan, — denn selbst für dich, der du in dies Auge geschaut und meine Worte gehört hast, scheint es ein Geheimnis bleiben zu wollen und ein Rätsel. . .' " (I, p. 153—54).

Anmerkungen

Sämtliche Zitate aus Stuckens Gralsdramen sowie die den Einzelausgaben der Dramen gegenüber vereinfachte Schreibung der Namen, etwa ‚Gawan' statt ‚Gawân' sind dem Band *Der Gral*, ein dramatisches Epos, entnommen, dem einzigen Band der geplanten vierbändigen Gesamtausgabe von Stuckens Werken, die der Erich-Reiß-Verlag Berlin 1924 vor seinem Konkurs herausbrachte. *Die weißen Götter* wurden zitiert nach der zweibändigen Ausgabe: Deutsche Buch-Gemeinschaft Berlin und Darmstadt, 1955. Die übrigen Stucken-Zitate aus Briefen von und an Stucken, wenn nicht anders vermerkt, entstammen der Korrespondenz, die Dr. Tankred Stucken für das Stucken-Archiv, Berlin, zusammengetragen hat, und werden hier mit Genehmigung der Stucken-Erben herangezogen.

Einführung, Stucken in heutiger Sicht

[1] Hans Erich Nossack, ,,Natascha bleibt, der Historie zum Trotz: Kann man heute noch historische Romane schreiben?" Die Welt, 1. Nov. 1969.

[2] (Frankfurt: Suhrkamp, 1969). Neuerwachtes Interesse an der Vergangenheit beweist auch der Erfolg populärwissenschaftlicher archäologischer Bücher wie Gerhard Herm, Die Phönizier (Düsseldorf: Econ-Verlag, 1973).

[3] Der Erstdruck für diesen Aufsatz konnte nicht mehr ermittelt werden. Zitiert wird nach Die Lesestunde der Deutschen Buchgemeinschaft 31 (1955), 23.

[4] Egon Schiele, Briefe und Prosa, hrsg. von Arthur Roeßler (Wien: R. Lányi, 1921), p. 49. Im Dezember 1973 fand eine Ausstellung der Malerei der britischen Präraffaliten in Baden-Baden statt, einer Kunstrichtung, die dem Jugendstil direkt vorausgeht. Stucken ist beiden Stilrichtungen verpflichtet.

[5] Die Zahl von sechs Millionen Anhängern des Satanskultes entnahm ich einer Statistik von Eberhard Nitschke, Die Welt, 21. Februar 1970. S. auch Schwarze Messen, Dichtungen und Dokumente, hrsg. von Ulrich Dreikandt (München: Hanser, 1970), oder Gerhard Zacharias, Satanskult und Schwarze Messe, ein Beitrag zur Phänomenologie der Religion (Wiesbaden: Limes, ²1970).

Unter dem Titel „The Occult Revival: Satan Returns" widmete Time eine ganze Nummer dem Wiederaufleben des Satanskultes in unseren Tagen, 19. Juni 1972.

⁶ In Salinas, Kalifornien, wurden Anhänger des Satanismus wegen kannibalistischer Riten verhaftet, Arizona Republic, 26. Juli 1970. Teufelsbeschwörung und ritueller Kannibalismus liegen auch dem Roman von Ira Levin zugrunde, nach dem der Film Rosemary's Baby 1968 gedreht wurde von Roman Polanski, dessen Frau, die Filmschauspielerin Sharon Tate, zusammen mit einigen supernaturalistisch inklinierten Hausgästen der drogensüchtigen Kommunenbande Manson zum Opfer fiel.

Die Geburt des Teufelskindes Adrian in Rosemary's Baby ist eine Variante zu der Geburt Merlins, dem Sohn Lucifers und Dahüts in Stuckens Gralsepos. Der Dämonismus des Mythischen, den Stucken so stark betont, scheint in der modernen Darstellung trivialisiert und verwässert.

Satanskult und Ritualmord sind keineswegs auf Kalifornien beschränkt. Der 17jährige David Hester aus South Carolina, der sich als Hoher Priester der Schwarzen Messe bezeichnete, wurde in De Land, Florida, mit weiteren Teufelsanbetern wegen eines Foltermords an Ross Michael Cochran zum Tode verurteilt, The Arizona Republic, 19. Oktober 1973, B 9.

Der Exorzisten-Dämonismus macht sich auch in Europa bemerkbar. „Parapsychologie ist im Kommen", schreibt Wolf Donner in „Die Teufel kommen", Die Zeit, 22. Februar 1974, p. 7.

1 Stucken zu seiner Zeit

¹ Valerian Tornius, Der Dichter Eduard Stucken", Deutsche Monatsschrift für Rußland, (Reval 1912), 165—66.

² Hans von Gumppenberg, „Echo der Bühnen, München", Das literarische Echo, 9 (1907), 1505. — Hans Franck, „Eduard Stucken", Echo, 11 (1909), 1494. — Frida Ischak, Der Demokrat, 15 (1910), 2. H. — Ludwig Rubiner, Die Gegenwart, 77 (1910), 294.

³ Arthur Drews, „Zwei moderne Dichter", Preußisches Jahrbuch 173 (1918), 196.

⁴ Otto Löhmann, Die Sage vom Gawain und dem Grünen Ritter, (Schriften der Albertus Universität, Königsberg, Geisteswiss. Reihe 17, 1938), 97. Gertrud Jahrmann, „Syr Gawayne and the Grene Knyght und Stuckens Gawan", Die Neueren Sprachen, 26 (1919), 405.

2 Herkunft und Kindheit in Moskau

¹ „Ich lese nur die Bibel", Worte Tolstois im Gespräch mit Stucken, zitiert nach Wolfgang Goetz, Geschichte der Literatur (Frankfurt a. M.: Büchergilde Gutenberg, o. J.), 316—18.

² Geleitwort Stuckens zu Ludwig Fulda, Der neue Harem (Berlin: Cotta, 1932), 9.

3 Jugend in Dresden

¹ Die Literatur, 36 (1933), 444.

² Arthur Drews, „Zwei moderne Dichter", PJB 173 (1918), 190.

³ Lionello Venturi, Sandro Botticelli (London: Phaidon, 1938), 13.

4 Im Kontor in Bremen, Abitur in Dresden

¹ Arthur Drews, „Eduard Stucken", Niedersachsen, 26 (Bremen, 1922), 116.

5 Studienjahre in Berlin

¹ Arthur Drews, Niedersachsen, 116.

² Arthur Drews, PJB, 189—90.

³ Eduard Stucken, Geleitwort zu Fulda, 8.

⁴ Arthur Drews, PJB, 194—95.

⁵ Wolfgang Goetz, „Die Poesie ließ ihn nicht los", Der Kurier, Berlin, 13. März 1965, 5.

⁶ Eduard Plietzsch, Heiter ist die Kunst (Gütersloh: Bertelsmann, 1955), 109.

6 Expedition Sendschirli

¹ Eduard Stucken, „Mein Lebenslauf", Maschinenmanuskript nach 1925, Besitz Stucken-Archiv.

² Felix von Luschan, Einleitung und Inschriften zu Ausgrabungen in Sendschirli (Berlin: Spemann, 1893), 7.

³ Walter Andrae, Babylon, die versunkene Weltstadt und ihr Ausgräber Robert Koldewey (Berlin: Walter Gruyter, 1952), 61.

⁴ Valerian Tornius, „Der Dichter Eduard Stucken", 171.

7 Astralmythologie

¹ Arthur Drews, Niedersachsen, 116.

² Arthur Drews, PJB, 192—93.

³ ebd.

⁴ Sigmund Freud, Gesammelte Werke, 10, Werke aus den Jahren 1913—1917, „Das Thema der Kästchenwahl", Frankfurt: S. Fischer.

⁵ Rudolf Pannwitz, „Zum hundertsten Geburtstag von Eduard Stucken", Die Tat, 30 (Zürich), 12. März 1965, 33.

Alfred Jeremias schreibt in einem Brief an Oswald Spengler über die Forschungsergebnisse von Stuckens späterer wissenschaftlicher Abhandlung Polynesisches Sprachgut in Amerika und in Sumer (1927), worin Stucken seine in den Astralmythen aufgestellte Hypothese weiter untermauert, von „einer verblüffenden Entdeckung Stuckens", aufgrund von Stuckens etymologischen Sprachvergleichen in mythologischer Sicht, am 2. 7. 1927, in Oswald Spengler, Briefe 1913—1936 (München: C. H. Beck, 1963), 531—33.

⁶ R. Z., „Eduard Stucken, Astralmythen der Hebräer, Babylonier und Aegypter", Theologisches Literaturblatt, 29 (1908), 401—02.

⁷ Alfred Maast, Bibliothekar der Berliner Gesellschaft für Anthropologie, Ethnologie und Urgeschichte, an Ed. Stucken, 24. Januar 1919.

⁸ Hugo Winckler, Geschichte Israels, II (Leipzig: E. Pfeiffer, 1900), 276.

⁹ Richard M. Meyer, Zeitschrift des Vereins für Volkskunde, 18 (Berlin, 1908), 357. — Hier wäre anzumerken, daß die jüngsten Forschungsergebnisse Stuckens astralmythologische Deutungen zu bestätigen scheinen, so Rudolf Eppelsheimer, Mimesis und Imitatio Christi (Bern: Francke, 1968). Eine interessante Parallele zu Stucken ist auch der Fall des kosmischen Theoretikers Immanuel Velikowsky, dessen Stuckens Gedankengängen verwandte mythische Kollisions-Theorie, die er in Worlds in Collision (New York: Macmillan, 1950) zum Ausdruck brachte, einer nach dem australischen Philosophen David Stove zufolge „wissenschaftlichen Mafia" der amerikanischen Astronomieprofessoren zum Opfer fiel. Obwohl Velikowskys Werk damals zum Bestseller wurde, lehnte die Wissenschaft seine kosmische Katastrophentheorie ab. Die Ergebnisse der Weltraumforschung der letzten Jahre scheinen jedoch Velikowsky zu bestätigen, wie Günter Haaf in seinem Aufsatz „Als die Sintflut kam", ausführt, Die Zeit, 25. August 1972.

8 Ehe- und Reisejahre

¹ Felix Braun, Das Licht der Welt (Wien: Thomas Morus Press, 1949), 643.

² Norman Willey und Julio del Toro, „Mejico en Die weißen Götter", The Spanish Review, 3 (1936), 91.

³ Wolfgang Goetz, „Vor dem Antlitz der Gorgo", Der Kurier, Berlin, 9. März 1946.

⁴ Fritz Cronheim, Frankfurter Zeitung, 192, 1925.

9 Der Weg zum Gral

[1] Arthur Drews, PJB, 190.
[2] Emil Barth, „Adils und Gyrid", Die Literatur, 38 (1936), 233.
[3] Hermann Kienzl, „Eduard Stucken", Das Blaubuch, 5 (1907), 1219.
[4] Hans Franck, „Eduard Stucken", Echo, 11 (1909), 149.

10 Der Gral, ein dramatisches Epos

[1] Felix Braun, Das Licht der Welt, 644.
[2] Wolfgang Goetz, „Die Poesie ließ ihn nicht los", Der Kurier, Berlin, 19. März 1955.
[3] Jost Hermand, Von Mainz nach Weimar (Stuttgart: Metzler, 1969), 275.
[4] Alfred Wien, „Deutsche Dramatiker der Gegenwart", Bühne und Welt, 12 (1910/11), 66.
[5] Felix Zimmermann, „Lucifer", Dresdener Nachrichten, 30. Jan. 1925.
[6] Alfred Wien, 66.
[7] Hermann Kienzl, Das Blaubuch, 4 (1909), 837.
[8] Ludwig Klinenberger, „Eduard Stuckens Drama Lanval im Burgtheater", Bühne und Welt, 13 (1910/11), 394.
[9] Otto Löhmann, Die Sage von Gawain und dem Grünen Ritter, s. Kap. 1, Anm. 4, 96–97.
[10] Eduard von Winterstein, Mein Leben und meine Zeit (Berlin: O. Arnold, 1942), 230.

11 Von Lucifer zu Galahad

[1] Arthur Drews, PJB 173 (1918), 195.
[2] Christian Morgenstern an Kayßler, aus Alles um des Menschen Willen, Ges. Briefe, ausgewählt v. Margareta Morgenstern (München: Piper, 1962), 372.
[3] Johannes Reichelt, „Eduard Stuckens Lucifer", Hellweg, 5 (1925), 105.
[4] Felix Braun, Die Eisblume (Salzburg: O. Müller, 1955), 193.
[5] Richard Elsner, „Eduard Stuckens Gawân, Lanvâl, Lanzelot", Das deutsche Drama in Geschichte und Gegenwart, 4 (1932), 70.
[6] Ludwig Klinenberger, „Von Wiener Theatern", Bühne und Welt, 12 (1910/11), 292–93.
[7] Joseph Gregor, Der Schauspielführer, Bd. 2 (Stuttgart: Hiersemann, 1954), 18.
[8] Valerian Tornius, 1. Kap. Anm. 1, 169.

12 Im Rampenlicht

[1] Joséphin Péladan, Historie et Légende de Marion de Lorme (Paris, 1927), 151. – p. 28.
[2] Annie Brierre, Ninon de Lenclos (Lausanne: Ed. Rencontre, 1967), 283.
[3] Friedrich Engel, Berliner Tageblatt, 8. Februar 1921.
[4] Alfred Klaar, „Die Hochzeit Adrian Brouwers", Hamburger Fremdenblatt, 14. Januar 1915. – Näheres zu Myrrha, s. 1. Kap.; zu Opferung, Einführung und Die weißen Götter; zu Adrian, Einführung u. 1. Kap.
[5] Paul Fechter, Das europäische Drama, 2. Bd. (Mannheim: Bibliographisches Institut, 1957), 357.

13 „War's meiner Seele Hölle. . ."

[1] Gabrielle Wittkop-Ménardeau, E. T. A. Hoffmann (Hamburg: Rowohlt, 1966), 71.
[2] Dominik Jost, „Jugendstil und Expressionismus", in Wolfgang Rothe, Expressionismus als Literatur (Bern: Francke, 1969), 91.
[3] Felix Braun, Das Licht der Welt, 642–43.
[4] Arthur Drews, Niedersachsen, 116.
[5] Wolfgang Kayser, Das Groteske (Hamburg: Stalling, 1957), 202.
[6] Felix Braun, Die Eisblume, 194.
[7] Herbert Günther, Künstlerische Doppelbegabungen (München: Heimeran, 1938).

14 Im Land der Träume

[1] Georg Witkowski, Zeitschrift für Bücherfreunde, 9 (1918), 537.
[2] Hans Martin Elster, Fränkischer Kurier, 2. Mai 1930.

15 Sphärenharmonie

[1] Klaus Baumgärtner, „Synästhesie und das Problem sprachlicher Universalien", Zeitschrift für Deutsche Sprache, 25 (1969), 4.
[2] Paul Wember, Die Jugend der Plakate (Krefeld: Scherpe, 1961), 13.
[3] Leon L. Tritchie, „The Concept of the Hermaphrodite", German Life and Letters, 23 (1970), 161.

16 Saaleck

[1] H. B., Reminiszenz an die Inflationsjahre, „Berlin vier Jahre nach dem ersten Weltkrieg", Die Neue Zeitung, 24. Dezember 1949.

17 „Was in mir fortstrahlt, lebt"

[1] Abb. 1 u. 2, Sitzung der Akademie der Künste in Berlin 1929 mit Stucken; Abb. 3, Karikatur der Akademiemitglieder von Martin Keser, Die Literatur (1930), Stucken mit Mandoline.

18 *Die weißen Götter,* ein Epos in Prosa

[1] Hans Martin Elster, Fränkischer Kurier, 2. Mai 1930.
[2] Karl Storck, „Die weißen Götter", Der Türmer, 21 (1919), 431.
[3] Gustav Keckeis, „Eine Prosadichtung", Literarischer Handweiser, 56 (1920), 170.
[4] Heimann, Hesse, Lucka, zitiert nach Beilage Horen-Verlag; Kasimir Edschmid, „Deutsche Erzählungsliteratur", Frankfurter Zeitung, 5. Dezember 1919.
[5] Wolfgang Goetz, Der Kurier, 9. März 1946, 46.
[6] Wolfgang Schultz, Einleitung in das Popol Vuh (Leipzig, 1913), 73; s. auch 7. Kap.

19 Der Erzähler

[1] Frank Thieß, Freiheit bis Mitternacht, Schreibmaschinenmanuskript, 372, C. F. W. Behl, Die Hilfe (1936), 7.
[2] C. F. W. Behl, „Stuckens neue Romandichtung", Die Literatur, 32 (1929/30), 271.
[3] Emil Barth, Die Literatur, 38 (1936), 233–34.
[4] Hans Martin Elster, Der Fränkische Kurier, 3. Mai 1930. Nähere Angaben zu Lariòn, s. Einführung, 2. u. 13. Kap.
[5] Hellweg, 6 (1926), 369.
[6] C. F. W. Behl, 403.
[7] Hans Philippi, Vergangenheit und Gegenwart, 20 (1930), 293.
[8] Deutsches Theater des Expressionismus (Vollst. Dramentexte. Hrsg. v. Joachim Schondorff. Mit e. Vorwort v. Paul Pörtner), (München: Langen-Müller, o. J.), 20.
[9] Zur englischen Übersetzung The Dissolute Years, in The New Republic (New York, 1935), No. 1098, 180.
[10] Franz Johannes Weinrich, Literarischer Handweiser, 66 (1929/30), 216.
[11] Harry Morris, „Hamlet as a memento mori poem", PMLA, 85 (1970), 1035.
[12] G. Stecher, Preußisches Jahrbuch, 218 (1929), 392.
[13] Herbert G. Göpfert, Die neue Literatur, 35 (1934), 223.
[14] Franz Arens, Die Literatur, 36 (1934), 228.
[15] Göpfert.

20 Die Parabel vom Falterflügelauge

[1] Die Zeit, Wien, zitiert nach der Beigabe des Horen-Verlages.
[2] Eduard von Winterstein, Mein Leben und meine Zeit, 232.
[3] Buchhändlergilde-Blatt, 1 (1917), 77.
[4] H. R. Klieneberger, The Christian Writers of the Inner Emigration (Den Haag, 1968), Anglica Germanica 10.

Zeittafel

1865 Ludwig Eduard Stucken wird als erster Sohn des Kaufmanns und amerikanischen Bürgers Carl Stucken und seiner Frau Charlotte Luise, geb. Kupffer, am 18. März in Moskau geboren.

1872 Besuch der Moskauer Internationalen Anthropologischen Ausstellung.

1873–1876 Schüler am Kreimann-Gymnasium in Moskau.

1876–1882 Übersiedlung nach Dresden zum Besuch des Vitzthum-Gymnasiums in Dresden bis Obersekunda.

1880 Übersiedlung der Eltern nach Dresden.

1882–1884 Lehre im Kontor der Firma Sparkuhle in Bremen.

1884 Der Bremer Dramaturg Heinrich Bulthaupt liest Stuckens erstes dichterisches Werk der Literarischen Gesellschaft vor, *Die Vestalin,* heute verschollen.

1885–1886 Rückkehr nach Dresden, Abitur am Vitzthum-Gymnasium.

1886 Tod des Vaters Carl Stucken.

1886–1887 Militärdienst als Freiwilliger im Feldartillerie-Regiment Nr. 12.

1887 Beginn eines langjährigen und umfassenden Studiums in Berlin: Botanik, Meteorologie, Literaturgeschichte, Anatomie, Geologie, Ethnographie, Hebräisch, Assyrisch, Babylonisch, Arabisch, Aethiopisch, Altägyptisch, dazu ozeanische Sprachen und das aztekische Nahuatl.

1888 Besuch des Congrès International des Américanistes, Berlin.

1889 Typhuserkrankung.

1890–1891 Teilnahme an einer Orient-Expedition des Direktors am Völkerkundemuseum, Felix von Luschan, mit Robert Koldewey, Ausgräber von Babylon, nach Sendschirli in Nordsyrien; Reiseroute Triest, Patras, Piräus, Smyrna, Ephesus, Pergamon, Magnesia, Skenderun. Reise nach Damaskus.

1892 Erster Druck eines literarischen Werkes, *Die Flammenbraut, Blutrache.*

1896–1907 *Astralmythen,* größtes wissenschaftliches Werk Stuckens.

1897 Verlobung mit Ania Lifschütz, Weihnachten in Königsberg. Eheschließung im darauffolgenden Jahr. *Yrsa.*

1898 Rußland-Reise über Korfu, Moskau, Kaukasus, Krim und Besuch Tolstois in Jasnaja Poljana im Auftrag des Fischer-Verlages. *Balladen.*

1901 Erstdruck von *Gawan,* Stuckens erfolgreichstem Drama.

1905 Tod der Mutter Charlotte Luise Stucken am 40. Geburtstag des Dichters. 21. November, *Wisegard*-Premiere im Intimen Theater, Wien, erste Aufführung eines Dramas von Stucken.

1907 *Gawan*-Uraufführung im Residenztheater München am 2. Mai.
Begegnung in Meran und San Vigilio mit Christian Morgenstern. Bis zum ersten Weltkrieg wiederholte und ausgedehnte Reisen in die Schweiz, nach Italien, Holland, England.

1910 *Gawan* auf den Reinhardt-Bühnen in Berlin, Regie Eduard von Winterstein, der auch *Lanval* und *Lanzelot* inszenierte. *Gawan*-Gastspiel des Deutschen Theaters am 1. Mai in Budapest. Stefan Zweig und Felix Braun zu Besuch bei Stucken am 29. September in Berlin. Mit Felix Braun schloß Stucken eine lebenslange Freundschaft. Weitere Schriftsteller-Begegnungen: Emil Lucka, Walter von Molo, Wolfgang Goetz, Efraim Frisch, Moritz Heimann, Oskar Loerke, Friedrich Freksa, Egmont Colerus, Ludwig Fulda, Wilhelm Schäfer, Wilhelm von Scholz. Verbindung mit Gerhart Hauptmann, Martin Buber und Ludwig von Hofmann, dem Lithographen seines Gedichtbandes *Das Buch der Träume.*

1911 *Lanval* auf dem Burgtheater Wien, am 19. Januar.

1916 Sommeraufenthalt in den Kriegsjahren auf Saaleck in Thüringen, auf Einladung von Paul Schultze-Naumburg, Direktor der Weimarer Kunstakademie, für Stucken einzige Erholungsmöglichkeit für viele Jahre nach Verlust seines Vermögens.

1917–1922 *Die weißen Götter,* 1. Teil im August 1917 beendet unter Eindruck des ersten Weltkriegs, Druck Juni bis August 1918. Stuckens erster Roman ist auch sein berühmtestes Werk.

1924 Tod Ania Stuckens in Saaleck am 19. August.

1925 Hochzeit mit Anna Schmiegelow am 6. September in Osterburg; letzte Reise nach Italien.

1926 Geburt des einzigen Kindes, des Sohnes Tankred, am 8. Juli in Berlin.

1932 Sommerurlaub der Familie Stucken in Neuendorf auf Hiddensee.

1936 Tod Eduard Stuckens am 9. März in Berlin nach langer, schwerer Erkrankung an Angina pectoris.

Bibliographie

I. Primärliteratur der Werke Stuckens nach Gattungen mit Rezensionen.
A) Wissenschaftliche Werke.

1896

Astralmythen der Hebräer, Babylonier und Ägypter, Religionsgeschichtliche Untersuchungen, 5 Teile: Abraham, Lot, Jakob, Esau, Mose. (Leipzig: E. Pfeiffer, 1896–1907), 657 S.
R.
Emmanuel Coquin, „Fantaisies biblico-mythologiques d'un chef d'école. M. Edouard Stucken et le folklore, Revue Biblique Internationale, (Paris, Janvier 1905).
G. Irenaeus, „Der alte Glaube", Leipziger Literaturblatt (1907), 177.
Felix von Oefele, Mitteilungen zur Geschichte der Medizin und Naturwissenschaften, 7. Bd. (Hamburg u. Leipzig, 1908), 89–91, 199.
Richard M. Meyer, Zeitschrift des Vereins für Volkskunde, 18, (Berlin, 1908), 357.
Oettli, Theologischer Literaturbericht, 31 (Gütersloh, 1908), 13–14.
Alfred Bertholet, Theologische Literaturzeitung, 33 (Leipzig, 1908), 230.
R. Z., Theologisches Literaturblatt, 29 (Leipzig, 1908), 401.

1901

„Schamchazi? ", Keilschriftaufsatz, Orientalistische Literaturzeitung, 4 (Berlin, 1901), 279–80.

1902

Beiträge zur orientalischen Mythologie, wissenschaftliche Abhandlung in 3 Teilen: Istars Höllenfahrt und die Genesis; Grün die Farbe des Mondes; Ruben im Jakobssegen. (Mitteilungen der Vorderasiatischen Gesellschaft, Berlin: W. Peiser, 1902), 72 S.
R.
Fr. W. von Bissing, Deutsche Literaturzeitung, 23 (Leipzig, 1902), 2581–84.
Carl Niebuhr, Orientalistische Literaturzeitung, 8 (1905), 187–93.

1913

Der Ursprung des Alphabets und die Mondstationen, (Leipzig: Hinrichsche Buchhandlung, 1913), 52 S.
R.
Alfred Loisy, Revue d'histoire et de la littérature religieuse, 76 (Paris, 1913), 377.

Bulletin mensuel de l'institut de sociologie (Brüssel: Solvay, Misch & Thron, 1913), 1203.
Alfred Loisy, Revue critique d'histoire et de littérature, 76 (Paris, 1913), 122–24.

Erich Bischoff, Theologische Literatur-Zeitung, 39 (Leipzig, 1914), 129.
Schultz, Orientalistische Literaturzeitung, 17 (1914), 210–15.
G. L. D. V., Rivista degli studi orientali, 6 (Rom, 1914), 551.

1914

„Spuren des ,Himmelsmanns' in Amerika", Aufsatz (Archiv für Anthropologie, Braunschweig: Fr. Vieweg & Sohn, 1914).

1924

„Über die ,fünf Körper der vierten Dimension' ", mathematisch-wissenschaftliche Abhandlung, (Berlin: Erich Reiß, 1924).

1925

„Das dritte Reich", religionsphilosophische Abhandlung. Der Ausblick, 1 (1925), H. 2, 22–24.

1927

Polynesisches Sprachgut in Amerika und in Sumer, (Mitteilungen der Vorderasiatisch-Ägyptischen Gesellschaft, Leipzig: Hinrichsche Buchhandlung, 1927), 127 S.
R.
W. Lehmann, Orientalistische Literaturzeitung, 33 (1930), 321–40.
F. Röck, Mitteilungen der Anthropologischen Gesellschaft in Wien, 61 (1931), 232.

B) Dichterische Werke: Dramatik.

Verschollene Werke: Die Vestalin (1884), Wieland der Schmied, Tragikomödie (1887), Erek und Enide, als Teil für den Gralszyklus (Beginn 1. Weltkrieg), Kaspar Hauser (1920).
Im Manuskript erhalten: Simson, Drama in 3 Akten, unveröffentlicht, Entstehungsjahr nicht mehr zu ermitteln, Maschinenmanuskript mit handschriftlichen Verbesserungen in der Staatsbibliothek Preußischer Kulturbesitz, Berlin.
Der irrende, wirrende Liebesbrief, Komödie in 4 Akten, ungedrucktes Maschinenmanuskript im Stucken-Archiv, Aufführung des Dramas im Residenztheater München, 14. Januar 1937.
R.
Herbert Saekel, „Der irrende, wirrende Liebesbrief", Die neue Literatur, 38 (1937), 151.

1895

Wisegard, Balladendrama in 5 Akten, (Berlin: S. Fischer, 1895), aufgenommen in: Balladen (1898).

1897
Yrsa, Tragödie in 3 Akten, (Berlin: S. Fischer, 1897), 152 S.

1901
Gawan, Mysterium in 5 Akten, (Berlin: Drei Lilien-Verlag, 1901), später bei Fischer und bei Reiß neu aufgelegt. 100 S.
R.
Richard Schaukal, Das literarische Echo, 4 (1901/02), 1142.
Hans von Gumppenberg, Das literarische Echo, 9 (1906/07), 1402—05.
Georg Goehler, Kunstwart, 20 (1907), 275.
Leo Greiner, Schaubühne, 3 (1908), 524.
Rudolf Kurtz, Schaubühne, 6 (1910), 364.
Frida Ischak, Der Demokrat, 2 (1910), No. 15.
Friedrich Düsel, Kunstwart, 23 (1910), 119.
Ludwig Rubiner, Die Gegenwart, 39 (Berlin 1910), 294.
Hermann Kienzl, Das Blaubuch, 5 (Berlin, 1910), 347—50.
Berliner Tageblatt, 31. September 1910.
F. Ph. Baader, Hannoverscher Kurier, 10. November 1910.
J. F. Wolff, „Stuckens Mysterium in der Literaturgeschichte", Dresdener Neueste Nachrichten, 20. Januar 1912.
Friedrich Kummer, Dresdener Anzeiger, 19. Februar 1912.
Breslauer Zeitung, 18. Juni 1912.
S. A. Breslauer Zeitung, 27. April 1915.
C. A. Piper, Hamburger Nachrichten, 25. April 1915.
Reichspost Wien, 28. September 1915.
Illustriertes Wiener Extrablatt, 25. September 1915.
Neues Wiener Tagblatt, 25. September 1915.
Hamburger Fremdenblatt, 25. September 1915.
Badische Landeszeitung, Karlsruhe, 9. Januar 1920.

1903
Lanval, Drama in 4 Akten, (Berlin: Drei Lilien-Verlag, 1903), 154 S.
R.
Richard Schaukal, Literarischer Anzeiger, Wien, 15. März

1905.
Ludwig Klinenberger, Bühne und Welt, 13 (Leipzig, 1911), 392—94.
Fritz Engel, Berliner Tageblatt, 4. Januar 1911.
Camill Hoffmann, Das literarische Echo, 13 (1911), 750.
Schaubühne, 7 (1911), 645.
Alfred Polgar, Schaubühne, 7 (1911), 156.
Siegfried Jacobsohn, Schaubühne 7 (1911), 204.
Friedrich Düsel, Der Kunstwart, 25 (1911), 41—45.
Theodor Antropp, Der Kunstwart, 24 (1911), 330—34.
Franz Servaes, Der Tag, Berlin, 27. Januar 1911.
Karl Friedrich Nowak, Die Hilfe, No. 37 (1911), 591.
Rudolf Kurtz, Die Aktion, 1 (1911), 979—80.
Grete Meisel-Heß, Der Weg, 2 (1911), 600.
Westermanns Monatshefte, 56 (1911), 459.
Nationalzeitung, Berlin, 12. September 1911.
W. W., Neue Freie Presse, Wien, 20. Januar 1911.
Kölnische Zeitung, 23. Dezember 1915.

Max Freyhan, Bühnenblatt, Baden-Baden, 2 (1922), 29. November 1922, 140.

1909
Myrrha, Drama in 4 Akten (Concordia Deutsche Verlagsanstalt H. Ehbock, 1908, Erstdruck), später: (Berlin: Erich Reiß, 1909), 107 S.
R.
Alfred Klaar, Vossische Zeitung, 9. April 1920.
Franz Dülberg, Das deutsche Drama, 3 (1920), 121.
Franz Servaes, Berliner Lokalanzeiger, 9. April 1920.
Moritz Heimann, Das Tagebuch, 1 (17. April 1920), 499.
Friedrich Engel, Berliner Tageblatt, 9. April 1920.
Hugo Kubsch, Deutsche Tageszeitung, Berlin, 9. April 1920.
Julius Hart, Der Tag, Berlin, 10. April 1920.
Berliner Zeitung am Mittag, 9. April 1920.
Herbert Ihering, Berliner Börsen Courier, 9. April 1920.
E. Schlaikjer, Tägliche Rundschau, 9. April 1920.
Conrad Schmidt, Vorwärts, Berlin, 9. April 1920.
Bayerische Staatszeitung, München, 11. April 1920.
f. s., Neue Freie Presse, Wien, 6. Oktober 1932.

1909
Die Gesellschaft des Abbé Châteauneuf, Tragikomödie in einem Akt, (Berlin: E. Reiß, 1909), 60 S. (gedruckt, 1908).
R.
Die Schaubühne, 4 (1908), 254—65.
Friedrich Düsel, Der Kunstwart, 26 (1913), 344—48.
Paul Fechter, Deutsche Allgemeine Zeitung, 11. Februar 1921.
Franz Dülberg, Das deutsche Drama, 4 (1921), 75.
Kurt Aram, Tägliche Rundschau, Berlin, 11. Februar 1921.
Friedrich Engel, Berliner Tageblatt, 11. Februar 1921.
K. H. B., Deutsche Zeitung, Berlin, 11. Februar 1921.
Monty Jacobs, Vossische Zeitung, 11. Februar 1921.
Hugo Kubsch, Deutsche Tageszeitung, Berlin, 11. Februar 1921.
P. G., Neue Freie Presse, Wien, 11. Februar 1921.
Franz Servaes, Berliner Lokalanzeiger, 11. Februar 1921.
Norbert Falk, Berliner Zeitung, 11. Februar 1921.
Herbert Ihering, Berliner Börsen Courier, 11. Februar 1921.
Otto Stoessel, Wiener Zeitung, 2. Juni 1923.
R. A., Neue Freie Presse, Wien, 2. Juni 1923.

1909
Lanzelot, Drama in 5 Akten, (Berlin: E. Reiß, 1909), 140 S.
R.
Die Schaubühne, 7 (1911), 56.
Johannes Tralow, Das Theater, 2 (1910/11), 195.
O. A., Die Gegenwart, 39 (1911), 110—11.
Hermann Kienzl, Das Blaubuch, 6 (1911), 36.
Heinrich Stümcke, Bühne und Welt, Leipzig, 13 (1911), 349.
Friedrich Düsel, Der Kunstwart, München, 24 (1911), 200—07.
Karl Strecker, Tägliche Rundschau, Berlin, 4. Januar 1911.
Arthur Eloesser, Das literarische Echo, 13 (1911), 744—47.

1910
Astrid, Drama in 4 Akten, (Berlin: E. Reiß, 1910), 78 S.
R.
Felix Braun, Die Zeit, Wien, 15. Mai 1910.
Julius Hart, Der Tag, Berlin, 31. 5. 1911.
Paula Schubert, „Eduard Stuckens nordische Quelle", Blätter des Deutschen Theaters, 2 (1912), 431–34.
G. L., Berliner Börsen Courier, 25. Januar 1913.
Max Osborn, Berliner Morgenpost, 25. Januar 1913.
Friedrich Engel, Berliner Tageblatt, 25. Januar 1913.
Neues Wiener Journal, 25. Januar 1913.
Norbert Falk, Berliner Zeitung, 25. Januar 1913.
F. H. Berliner Lokalanzeiger, 25. Januar 1913.
Walter Turszinsky, Breslauer Zeitung, 26. Januar 1913.
Julius Hart, Der Tag, Berlin, 26. Januar 1913.
Eduard Engel, Hamburger Fremdenblatt, 26. Januar 1913.
Deutsche Zeitung, Berlin, 26. Januar 1913.
J. A. B., Dresdener Neueste Nachrichten, 26. Januar 1913.
M. O. Berliner Abendpost, 26. Januar 1913.
Neues Wiener Journal, 25. Januar 1913.
Arthur Eloesser, Das literarische Echo, 15 (1912/13), 762–64.
Erwin Thyssen, Germania, 26. Januar 1913.
Friedrich Düsel, Der Kunstwart, 26 (1913), 346–47.
Die Welt am Montag, 27. Januar 1913.
Badische Presse, Karlsruhe, 28. Januar 1913.
Chemnitzer Tageblatt, 29. Januar 1913.
Die Schaubühne, 9 (1913), 30. Januar 1913.
Neue Freie Presse, Wien, 3. Februar 1913.

1913
Die Opferung des Gefangenen, ein Tanzschauspiel der Indianer in Guatemala aus vorkolumbischer Zeit, frei übersetzt und bearbeitet von Ed. Stucken, (Berlin: E. Reiß, 1913), 34 S.

1913
Merlins Geburt, Mysterium in 7 Bildern, (in der Gesamtausgabe umbenannt in Lucifer), (Berlin: E. Reiß, 1913), 118 S.
R.
Johannes Reichelt, Hellweg, 5 (Essen, 1925), 105.
Johannes Reichelt, Die Literatur, 27 (1925), 421.
Friedrich Kummer, Dresdener Zeitung, 30. Januar 1925.
Johannes Reichelt, Neue Münchner Zeitung, 1. Februar 1925.

1914
Die Hochzeit Adrian Brouwers, Drama in 7 Bildern, (Berlin: E. Reiß, 1914), 141 S.
R.
Kurt Küchler, Berliner Tageblatt, 15. Januar 1915.
Ph. B., Hamburger Fremdenblatt, 15. Januar 1915.
Kölnische Zeitung, 16. Januar 1915.
A. Z., Berliner Börsen Courier, 16. Januar 1915.
Frankfurter Zeitung, 17. Januar 1915.

Arthur Sakheim, Breslauer Zeitung, 17. Januar 1915.
Dresdner Nachrichten, 20. Januar 1915.
Münchener Neueste Nachrichten, 2. Dezember 1916.
Neue Freie Presse, Wien, 19. Mai 1918.
Illustriertes Wiener Extrablatt, 19. Mai 1918.
Fremdenblatt, Wien, 19. Mai 1918.
Neues Wiener Journal, 19. Mai 1918.
Berliner Börsen Courier, 11. Juni 1918.
Wiener Zeitung, 19. Mai 1918.
W. Spael, Germania, Berlin, 23. September 1920.
Berliner Zeitung, 24. September 1920.
A. Pabst, Academia, Berlin, 35 (1920), 29–35.
Friedrich Engel, Berliner Tageblatt, 23. September 1922.
Herbert Ihering, Berliner Börsen Courier, 23. September 1922.
Ludwig Sternaux, Berliner Lokalanzeiger, 23. September 1922.
Norbert Falk, Berliner Zeitung, 23. September 1922.

1916
Tristram und Ysolt, Drama in 5 Akten, (Berlin: E. Reiß, 1916), 155 S.
R.
E. S., Münchener Zeitung, 25. November 1916.
Kölner Tageblatt, 20. November 1916.
Münchener Neueste Nachrichten, 19. November 1916.
Alfred Klaar, Vossische Zeitung, 14. November 1916.
Hamburger Nachrichten, 15. November 1916.
Hamburger Fremdenblatt, 15. November 1916.
Stefan Hock, Donauland, Wien, 1 (1917), 327–28.
Zeitschrift für Bücherfreunde, Leipzig, 9 (1918), 557.

1922
Das verlorene Ich, Tragikomödie in 6 Bildern, (von Stucken auch Der arme Yack geheißen, in der Gesamtausgabe umbenannt in Uter Pendragon), (Berlin: E. Reiß, 1922), 115 S.

1924
Vortigern, Tragödie in einem Vorspiel und 5 Akten, (Berlin: E. Reiß, 1924), 153 S.

1924
Zauberer Merlin, Drama in 5 Akten, (als Einzelband nicht aufzutreiben, vermutlich gleich 1924 in Gesamtband Der Gral aufgenommen).

1924
Der Gral, ein dramatisches Epos, (erster und einziger erschienener Band der geplanten gesammelten Werke in vier Bänden), (Berlin: E. Reiß, 1924), 686 S.
Enthält die Gralsdramen: Lucifer, Vortigern, Uter Pendragon, Zauberer Merlin, Gawan, Lanval, Tristram und Ysolt, Lanzelot.

Dichterische Werke: Lyrik.

Im folgenden werden nur Gesamtausgaben von Gedichten aufgeführt. Die zahlreich eingestreute Lyrik im Gesamtwerk und die Einzeldrucke von Gedichten können hier nicht berücksichtigt werden.

1898
Balladen mit Buchschmuck von Fidus, (nur diese Ausgabe enthält auch das Balladendrama Wisegard von 1895 und das Eposfragment Götterdämmerung), (Berlin: S. Fischer, 1898).
R.
Paul Remer, Die Gesellschaft, 15 (1899), 234.

1911
Romanzen und Elegien, (Berlin: E. Reiß, 1911, ²1921), 103 S.
R.
Ernst Lissauer, Das literarische Echo, 15 (1912/13), 508–10.

1916
Das Buch der Träume, (Berlin: E. Reiß, 1916), 46 S.
R.
Witkowski, Zeitschrift für Bücherfreunde, Leipzig, 9 (1918), 537.

1920
Balladen, (zweite stark veränderte Ausgabe der Erstausgabe von 1898), (Berlin: E. Reiß, 1920), 85 S.
R.
Ferdinand Gregori, Das literarische Echo, 23 (1920/21), 1501–02.

1921
Das Buch der Träume, (illustrierte Sonderausgabe der Anthologie von 1916 mit zehn Originalsteindrucken von Ludwig von Hofmann, von Karl Schubert, Dresden, mit der Hand abgezogen; von 250 Exemplaren wurden Nr. 1–50 vom Künstler signiert), (Berlin: E. Reiß, 1921).

1935
Die Insel Perdita, neue Gedichte und Balladen, (Berlin: Zsolnay, 1935), 101 S.

1938
Gedichte, (Berlin: Zsolnay, 1938), 153 S.
Diese einzige posthume Ausgabe Stuckenscher Lyrik enthält:
Das Buch der Träume nach der Erstausgabe von 1916.
Romanzen und Elegien nach der Auflage von 1921.
Balladen, nach der veränderten Auflage von 1920.

Dichterische Werke: Epik.

Versepik: Das Eposfragment Götterdämmerung ist in der ersten Balladenausgabe von 1898 enthalten.

1892
Die Flammenbraut, Blutrache, zwei Verserzählungen, (Originaldrucke nur noch in der Princeton-University Library, USA und in der All-Union State Library of Foreign Literature, UdSSR nachweisbar), (Oldenburg u. Leipzig: Schultze, 1892), 68 S.

1901
Hine Moa, eine Neuseeländische Sage in Versen, (Berlin: Breslauer & Meyer, 1901), 38 S.

Erzählende Prosa: Im folgenden werden nur selbständige Prosawerke berücksichtigt. Der herabstoßende Adler, (Berlin u. Wien: Karl H. Bischoff u. Zsolnay, 1942) ist eine Feldpostausgabe des 7. Buches der Weißen Götter; Die Eroberer, in Neue deutsche Erzähler, (Berlin: Paul Francke, 1930), sind ein Auszug aus dem 4. Buch der Weißen Götter. König Pfauhahn, Die neue Rundschau, 42 (1931), 367–89, ist ein Auszug aus Giuliano, Kapitel 26–46.

1917–1922
Die weißen Götter, Roman in 14 Büchern, (Berlin: E. Reiß, 1917–1922); Band I (1918), Band II und III (1919), Band IV (1922); die zweite Auflage des gesamten Werkes erschien bei Reiß 1927. Spätere Ausgaben erschienen bei den folgenden Verlagen: Horen, List, Deutsche Buchgemeinschaft, Paul Zsolnay, Stuttgarter Hausbücherei, Rororo und Bertelsmann.
R.
Friedrich Engel, Berliner Tageblatt, 21. Januar 1919.
Victor Klages, Weser Zeitung, Bremen, 18. August 1919.
Kasimir Edschmid, Frankfurter Zeitung, 5. Dezember 1919.
Karl Storck, Der Türmer, 21 (1919), 431.
Heinz Stolz, Das literarische Echo, 22 (1919), 102.
Friedrich Engel, Berliner Tageblatt, 15. Februar 1920.
Victor Klages, Weser Zeitung, Bremen, 19. April 1920.
Franz Leppmann, Vossische Zeitung, 30. Mai 1920.
Carl Kaulfuß-Diesch, Schlesische Zeitung, Breslau, 25. August 1920.
M. Koch, Schlesische Zeitung, Breslau, 27. August 1920.
Deutsche Zeitung, Berlin, 13. September 1920.
C. F. W. Behl, Der Frühling, September 1920.
Heinz Stolz, Das literarische Echo, 22 (1920), 102–03.
Gustav Keckeis, Literarischer Handweiser, Freiburg, 56 (1920), 170–74.
Emil Lucka, Das literarische Echo, 22 (1920), 859.
Karl Storck, Der Türmer, 22 (1920), 158–60.
Will Scheller, Das literarische Echo, 22 (1920), 1443.
Franz Herwig, Hochland, Wien, 18 (1921), 357–60.
Philipp Krämer, Die Furche, Berlin, 11 (1921), 111.

Victor Klages, Weser Zeitung, Bremen, 24. April 1922.
Hans Teßmer, Tägliche Rundschau, Berlin, 19. Juni 1922.
C. F. W. Behl, Das literarische Echo, 25 (1922/23), 371.
Will Scheller, Die schöne Literatur, Berlin, 23 (1922), 369—72.
F. G. Antal, Neue Freie Presse, Wien, 29. April 1923.
Jakob Wassermann, Die Literatur, Berlin, 26 (1924), 3.
Arthur Friedrich Binz, Der Gral, Essen, 18 (1924), 48—49.
M. Fischer, Das neue Deutschland, Perthes, Gotha, 9 (1925), 84.
Arthur Friedrich Binz, Hochland, Wien, 25 (1928), 553.
Zeitschrift für Bücherfreunde, Leipzig, 20 (1928), 279.
Gustav Keckeis, Literarischer Handweiser, Freiburg, 66 (1929), 223—26.
C. F. W. Behl, Hamburger Nachrichten, 17. März 1935.
Hanns Martin Elster, Deutsche Grenzlande, Berlin, 14 (1935), 153.
Frank Thieß, Der Tagesspiegel, Berlin, 25. Dezember 1956.
Ernst Johann, Frankfurter Allgemeine Zeitung, 18. März 1965.

1926
Lariòn, Roman (Berlin: E. Reiß, 1926), 280 S.
R.
Hellweg, Essen, 6 (1926), 369.
Das Theater, 7 (1926), 67.
C. F. W. Behl, Die Gegenwart, 56 (1927), Septemberheft.
Wolfgang Goetz, Deutsche Rundschau, Berlin, 53 (1929), 196.

1929
Im Schatten Shakespeares, Roman (Berlin: Horenverlag, 1929), 574 S.
R.
B. Guillemin, Magdeburger Zeitung, 9. Februar 1929.
Neue Zürcher Zeitung, 27. Oktober 1929.
Berliner Börsen Courier, 23. November 1929.
Hans Christoph Kaergel, Dresdener Nachrichten, 4. Dezember 1929.
Franz Joh. Weinrich, Literarischer Handweiser, Freiburg, 66 (1929), 216.
G. Stecher, Preußisches Jahrbuch, 218 (1929), 391—92.
C. F. W. Behl, Die Literatur, 32 (1930), 271—72.
F. Wippermann, Die Bücherwelt, Bonn, 27 (1930), 312.
Hans Philippi, Vergangenheit und Gegenwart, Berlin, 20 (1930), 293—94.
Die Literatur, 32 (1930), 403.
Wolfgang Goetz, Vossische Zeitung, 22. Januar 1930.
Bernhard Diebold, Frankfurter Zeitung, 3. August 1930.
Unser Egerland, 36 (1931), 94.
W. Möhring, Bücherei und Bildungspflege, Stettin, 12 (1932), 71.

1933
Giuliano, Roman (Berlin: Zsolnay, 1933), 410 S.

R.
Franz Arens, Die Literatur, 36 (1934), 228.
Herbert G. Göpfert, Die neue Literatur, Leipzig, 35 (1934), 223.
A. Nagler, Deutscher Bibliophilenkalender, 20 (1936), 131.

1935
Adils und Gyrid, Erzählungen (Berlin: Zsolnay, 1935), 266 S.
Enthält: Adils und Gyrid und Ein Blizzard.
R.
Emil Barth, Die Literatur, 38 (1936), 233—34.

1937
Die segelnden Götter, Erzählung (Berlin: Zsolnay, 1937), 120 S. Von Stucken persönlich dem Druck übergeben, doch posthum veröffentlicht.

C) Sonstige Schriften.

„Ibsen und die Sage", Aufsatz für die Schaubühne, 2 (1906), 89—91.
„Mein Lebenslauf", und „Eduard Stucken über sich selbst", biographische Aufsätze, als Maschinenmanuskript erhalten, teilweise veröffentlicht als Beigabe des Horenverlags und als Auszug für einen Artikel zum 100. Geburtstag Stuckens für den Weser Kurier, Bremen, 18. März 1965.
„Heimat und Ahnen", autobiographischer Aufsatz für Die schöne Literatur, 31 (1930), 65—68.
„Geleitwort", zu Ludwig Fulda, Der neue Harem, Komödie in drei Akten, (Berlin: Cotta, 1932), 5—12.
„Mußte ich Die weißen Götter schreiben?" Erste Veröffentlichung dieses biographischen Aufsatzes vermutlich Anfang der dreißiger Jahre; nurmehr feststellbar in Die Lesestunde, Zeitschrift der Deutschen Buchgemeinschaft, Darmstadt und Berlin, 31 (1955); dieser Neudruck des Aufsatzes erschien anläßlich der Ausgabe des Romans beim gleichen Verlag 1955.
Die Flamme, ein Prolog zum 25jährigen Jubiläum des Deutschen Schauspielhauses, Hamburg. Gedruckt in der Theaterzeitschrift Rampe, September 1925. (Festvorstellungen am 15. u. 16. September 1925).

D) Zeichnungen: eine große Anzahl von Handzeichnungen, insbesondere von Porträts, wurde 1943 in Berlin durch Bomben vernichtet.

Das Saalecker Skizzenbuch, Handzeichnungen, Geleitwort von Paul Schultze-Naumburg, (Berlin: E. Reiß, 1922).
Grotesken, 50 Original-Lithographien, einmalige Auflage von 75 Exemplaren, sämtlich von Stucken signiert, (Berlin: E. Reiß, 1923).
R.
Felix Braun, Die literarische Welt, 30 (1926), 3.

E) Übersetzungen.

Englisch:
Die weißen Götter:
The Great White Gods, übersetzt von Frederick H. Martens, Holzschnitte von Hendrik Glintenkamp, (New York: Farrar & Rinehart, 1935; London: Jarrolds, 1936).
Im Schatten Shakespeares:
The Dissolute Years, übersetzt von Marguerite Harrison, (New York: Farrar & Rinehart, 1935; London: Jarrolds, 1937).
R:
The New Republic, New York, 18. Dezember 1935, 180.

Japanisch:
Myrrha:
Hikoki, übersetzt von Ogai Mori (Tokio: Ogai Zenshu. Hon' yakuhen, 1923, 1939, 1955, 1972).

Lettisch:
Die weißen Götter:
Baltie Dievi, übersetzt von Oswald Kruminš (Mullsjö, Schweden: Dravnieks, 1946).

Russisch:
Wisegard:
Deutheria, übersetzt von E. A. (handschriftliches Exemplar in der Leningrader Staatlichen Theaterbibliothek, 1898.
Die Hochzeit Adrian Brouwers:
Barchat i Lochmot'ja (Samt und Lumpen), übersetzt von Anatoli Wassiljewitsch Lunatscharski, (Moskau: Theaterverlag, 1927).

Slowenisch:
Die weißen Götter:
Beli Bogovi, übersetzt von Mira Rojec, (Ljubljana: Cankarjeva Zalozba, 1957).

Tschechisch:
Im Schatten Shakespeares:
Vé stínu Shakespeara, übersetzt von Karel Hoch, (Prag: F. Topic, 1931), Topic's weiße Bücher.

II. Sekundärliteratur zum Werke Stuckens.
A) Dissertationen.

Ahrens, Friedrich-Carl, Eduard Stuckens Tristram und Ysolt und andere neuere Tristandichtungen, auf literarische Quellen und Vorbilder geprüft und gewürdigt, (Westfälische Wilhelms-Universität, Münster, vermutlich 1920).
Carlson, Ingeborg, Eduard Stucken, eine Monographie, (Friedrich-Alexander-Universität, Erlangen-Nürnberg, 1961).
Gmainwieser, Edith, Eduard Stuckens dramatisches Kunstwerk, (Wien, 1938).
Heimann, Erhard, Tristan und Isolde in der neuzeitlichen Literatur, (Rostock, 1930), 52—64.
Pilpel, Olga, Der Gral, ein dramatisches Epos von Eduard Stucken, eine Monographie, (Wien, 1927).
Schmitz, Werner, Studien zum Stil Eduard Stuckens, (Albertus-Magnus-Universität, Köln, 1948).

B) Aufsätze in Sammelbänden, Jahrbüchern, Zeitschriften, Zeitungen mit Literaturbeilagen, soweit sie nicht als Rezensionen bei den Einzelwerken Stuckens aufgeführt sind. Hinweise auf Erinnerungsbücher von Zeitgenossen und allgemeine Werke mit kritischer Stellungnahme zu Stucken können nur teilweise berücksichtigt werden.

Andrae, Walter. Babylon. Die versunkene Weltstadt und ihr Ausgräber Robert Koldewey. Berlin: Walter Gruyter, 1952, 61—62.
Archiv der deutschen Seewarte. Zwölfter Jahresbericht für das Jahr 1889 u. dreizehnter Jahresbericht für das Jahr 1890. Hamburg: Hammerich & Lesser 1890 u. 1891.
Arnold, Robert F. Radio Wien, 4 (1928), Nr. 29.
Baldus, Alexander. Fränkischer Kurier, 28. März 1940, 3.
Behl, C. F. W. ,,Eduard Stucken". Deutsche Allgemeine Zeitung, Berlin, 19. März 1935.
,,Abschied von Stucken". Die Hilfe, 42 (1936), 4. April 1936. Rhein-Neckar-Zeitung, Heidelberg, 18. März 1965.
Bergemann, M. Der Gral, Essen, 20 (1926), 516—19.
Bieber, Hugo. ,,Echo der Zeitungen zum 60. Geburtstag Stuckens". Das literarische Echo, 27 (1925), 475.
Binz, Arthur Friedrich. ,,Historische Romane". Hochland, 25 (1927/28). 553.
Braumüller, Wolf. ,,Eduard Stucken". Bausteine zum deutschen Nationaltheater, 14 (1936), 14—17.
Braun, Felix. ,,Eduard Stucken". Blätter des deutschen Theaters, 2 (1912), 425.
,,Eduard Stucken". Der Ausblick, 1 (1925), 17—21.
,,Die älteren Dichter". Die schöne Literatur, 30 (1929), 300—03.
Neue Freie Presse, Wien, 17. März 1935.
,,Erinnerung an Eduard Stucken". Theater der Welt, 1 (1937), 283—85.
Das Licht der Welt. Wien: Thomas Morus Presse, 1949, 641—45.

Die Eisblume. Salzburg: O. Müller, 1955, 188—94.

Carlson, Ingeborg, Germanistik, 3 (1962), 442.

Cronheim, Fritz. Frankfurter Zeitung, Nr. 192, 1925.

Devrient, Ludwig. Geschichte der deutschen Schauspielkunst. Berlin: Eigenbrödler Verlag, 1929.

Drews, Arthur. „Zwei moderne Dichter", Eduard Stucken und Gustav Schüler. Preußisches Jahrbuch, 173 (1918), 189—203.

„Eduard Stucken". Niedersachsen, Bremen, 26 (1922), 116—17.

Dülberg, Franz. Münchener Neueste Nachrichten, 18. März 1925.

Düsel, Friedrich. Westermanns Monatshefte, 111 (1911/12), 461—62.

Eckert, Ernst Richard. Das Theater, 6 (1925), 127.

Edschmid, Kasimir. „Deutsche Erzählungsliteratur". Frankfurter Zeitung, 5. Dezember 1919.

Elsner, Richard. „Gawan, Lanval, Lanzelot". Das deutsche Drama in Geschichte und Gegenwart, 4 (1932), 69—82.

Elster, Hanns Martin. „Eduard Stucken". Fränkischer Kurier, 2. u. 3. Mai 1930.

„Eduard Stucken". Die deutsche Dichtung, ein Jahrbuch, Berlin, 1 (1936), 61—68.

„Eduard Stucken". Monatshefte für deutschen Unterricht, 28 (1936), 177.

„Eduard Stucken, ein Vergessener? " Mindener Tageblatt, 13. März 1965.

Fechter, Paul. Das europäische Drama, Mannheim: Bibliographisches Institut, 1957, II, 63, 354—63.

Franck, Hans. „Eduard Stucken". Das literarische Echo, 11 (1909), 149.

Freud, Sigmund. „Das Thema der Kästchenwahl". (The Theme of the Three Caskets), The Standard Edition of the Complete Psychological Works of Sigmund Freud, James Strachey and Anna Freud as Translators, Vol. XII (1911—13), London: The Hogarth Press, 1958, 291.

Geißler, Max. Führer durch die deutsche Literatur des zwanzigsten Jahrhunderts, Weimar: A. Dunker, 1913, 629.

Geyer, Ernst. „Dichter der Könige Artus und Montezuma". Schaumburger Zeitung, 10. März 1966.

Goetz, Wolfgang. „Eduard Stucken". Die Literatur, 36 (1934), 444—47.

„Eduard Stucken zum 70. Geburtstag". Die Literatur, 37 (1935), 402.

„Vor dem Antlitz der Gorgo". Der Kurier, Berlin, 9. März 1946.

„Die Poesie ließ ihn nicht los". Der Kurier, Berlin, 19. März 1955.

„Eduard Stucken, dem Freund". Der Kurier, Berlin, 10. März 1956.

Geschichte der Literatur, Wien: Büchergilde Gutenberg, 1961, 316—17.

Der Tagesspiegel, Berlin, 9. März 1961.

Begegnungen und Bekenntnisse, Berlin, 1964, 134—39.

Der Kurier, Berlin, 13. März 1965.

Gregor, Joseph. Der Schauspielführer, Stuttgart: Hiersemann, 1954, II, 18.

Günther, Herbert. Künstlerische Doppelbegabungen, München: Heimeran, 1938.

Handl, Willi. „Sternheim und Stucken". Freie deutsche Bühne, Berlin, 1 (1920), 787—90.

Hart, Julius. „Die Flammenbraut. Blutrache". Freie Bühne, 2 (1892), 1118—19.

Haselberg, Peter von. „Zum Tode Eduard Stuckens". Frankfurter Zeitung, 11. März 1936.

Heine, Anselma. „Barock". Das literarische Echo, 15 (1911), 1141—46.

Hermand, Jost. „Gralsmotive um die Jahrhundertwende". Von Mainz nach Weimar. (1793—1919 Studien zur deutschen Literatur). Stuttgart: Metzler, 1969, 269—97.

Jahrmann, Gertrud. „Syr Gawayne and the Grene Knyght und Stuckens Gawan". Die neueren Sprachen, Marburg, 26 (1919), 405—23.

Jost, Dominik. „Jugendstil und Expressionismus". Wolfgang Rothe, Hrsg. Expressionismus als Literatur. Berlin: Francke, 1969, 91.

Kaergel, Hans Christoph. „Von großen Erzählern". Dresdener Nachrichten, 4. Dezember 1929.

Kayser, Wolfgang. Das Groteske. Hamburg: Stalling, 1957, 202.

Kerr, Alfred. Die Welt im Drama. Berlin, 1922, 3. Bd.

Kienzl, Hermann. „Eduard Stucken". Das Blaubuch, 2 (1907), 1218—22.

Eckart, Berlin, 4 (1909), 472—78.

Kindermann, Heinz, Theatergeschichte Europas. Salzburg 1968, 8. Bd.

Klieneberger, H. R. The Christian Writers of the Inner Emigration. Anglica Germanica 10. Den Haag, 1968.

Koch, M. „Gralsdramen". Der Wächter, Wien, 8 (1926), 365.

Kohlmann, Curt. Die Lese, 1. August 1930.

Kurtz, R. „Eduard Stucken". Die Schaubühne (Fortsetzung der Weltbühne), Berlin, 3 (1907).

Löhmann, Otto. Die Sage vom Gawain und dem Grünen Ritter. Schriften der Albertus Universität, Königsberg, Geisteswissenschaftliche Reihe, 17. Königsberg, 1938, 92—97.

Loerke, Oskar. Reden und kleinere Aufsätze. Wiesbaden: Verlag der Akademie der Wissenschaften in Mainz, Abhandlungen der Klasse der Literatur, 1956, Nr. 5. (Enthält „Abschied von Eduard Stucken", gesprochen bei der Trauerfeier im Hause des Verstorbenen am 10. März 1936).

Lothar, Rudolf. „Zwei neue Dichter" (Vollmöller und Stucken). Nation, Berlin, 22 (1904), 59—61.

Lunatscharskij, Anatoli Wassiljewitsch, Vorwort zu Barchat i Lochmot'ja, russische Übersetzung von Die Hochzeit Adrian Brouwers, Moskau: Theaterverlag, 1927. Zur von Lunatscharskij veranstalteten Aufführung des Dramas, im Akad. Drama-Theater, 19. Februar 1927: A. Engelhardt, Leningrader Pravda, 20. Februar 1922, 5; 27. Februar 1927; Uriel, Pravda, 10. April 1927.

Luschan, Felix von. Ausgrabungen in Sendschirli, ausgeführt und herausgegeben im Auftrage des Orient-Comités zu Berlin, I. Band, Einleitung und Inschriften, Berlin: W. Spemann, 1893, 7.

Mayer, Ludwig K. „Die dramatische Idee bei Wellesz". Vorwort zu der Vertonung von Stuckens Bearbeitung des guatemaltekischen Tanzschauspiels Die Opferung des Gefangenen von Egon Wellesz, Programmheft, Köln, 2. April 1926.

Meyer, Richard. Zeitschrift des Vereins für Volkskunde, 18 (Berlin, 1908), 357.

Molo, Walter von. „Kritisch waren wir Poeten damals und wir hielten zusammen." Die Welt, 8. Juni 1957.

Morgenstern, Christian. Alles um des Menschen willen. Briefsammlung, München, 1962, 175—95, 372.

Neumair, Josef. „Neue Dramen". Der Gral, 5 (1910/11), 433—38.

Pannwitz, Rudolf. Darmstädter Tageblatt, 14. Juli 1935. Die Tat, Zürich, 18. März 1965.

Plietzsch, Eduard, – – – heiter ist die Kunst. Autobiographie, Gütersloh: Bertelsmann, 1955, 109.

Prochownik. „So lebten wir einst in Berlin". Telegraf-Illustrierte, Berlin, 17. Januar 1965, 23.

Sarnetzki, D. H. Die Literatur, 27 (1924/25), 475.

„Eduard Stucken", Kölnische Zeitung, Nr. 204, März 1925.

Schlösser, R. „Das neue Antlitz der preußischen Dichterakademie". Völkischer Beobachter, 10. Mai 1935.

Schmitz, Werner. Die Tat, Zürich, Nr. 76, 1956.

Scholz, Wilhelm von. „Eine einzigartige dramatische Sprache". Volksbühnenspiegel, Berlin, 11 (1965), 6—7.

Schönbaumsfeld, Elfriede. „Die ästhetische Kontemplation in der Weltanschauung Stuckens". Zeitschrift für Ästhetik, Stuttgart, 30 (1936), 262—70.

Schubert, Paula. „Eduard Stuckens nordische Quelle". (für Drama Astrid). Blätter des deutschen Theaters, 2 (1912), 431—34.

Spengler, Oswald. Briefe 1913—1936. München: C. H. Beck, 1963, 531—33.

Spies, Georg. Erinnerungen eines Auslandsdeutschen, 1927.

Stern, Ernst. Bühnenbildner bei Max Reinhardt. (Theatererfahrung, Kayßlers Kostüme), Berlin, 1955, 75.

Thieß, Frank. Freiheit bis Mitternacht. Wien: Zsolnay, 1965, 490—92.

Tornius, Valerian. „Der Dichter Eduard Stucken". Deutsche Monatsschrift für Rußland, Reval (1912), 165—72.

Viertel, Berthold, Der Merker, 2 (1910/11), 362.

Wien, Alfred, „Deutsche Dramatiker der Gegenwart: Eduard Stucken". Bühne und Welt, 13 (1910/11), 66—70.

Willey, Norman und Julio del Toro. „Mejico en Die weißen Götter". The Spanish Review, New York, 3 (1936), 91—100.

Winckler, Hugo, Geschichte Israels, II, Leipzig: E. Pfeiffer, 1900.

Winterstein, Eduard von. Mein Leben und meine Zeit. Berlin: O. Arnold, 1942 und 1947, 230—33 und 466—69.

Witkowski, Georg, Zeitschrift für Bücherfreunde, Leipzig, 9 (1918), 557.

Zimmermann, Felix, „Lucifer". Dresdener Nachrichten, 30. Januar 1925.

Zivier, Georg, Xahoh-Tun, Der Feuerreiter, 2 (1922), 19—25.

C) Sekundärliteratur, allgemeine Werke.

Bastian, Adolf. Die heilige Sage der Polynesier. Leipzig, 1881.

Die samoanische Schöpfungssage, Berlin 1894.

Baumgärtner, Klaus. „Synästhesie und das Problem sprachlicher Universalien". Zeitschrift für deutsche Sprache, 25 (1969), 4.

Brasseur de Bourbourg, Charles Etienne. Histoire des nations civilisées du Mexique et de l'amérique centrale durant les siècles antérieur à Christophe Colomb, 4 vols, Paris, 1857—59.

Brierre, Annie. Ninon de Lenclos, Lausanne: Ed. Rencontre, 1967.

Deutsches Theater des Expressionismus (Vollständige Dramentexte, Hrsg. von Joachim Schondorff, mit einem Vorwort von Paul Pörtner). München: Langen—Müller, o. J.

Diaz del Castillos, Bernal. The Discovery and Conquest of Mexico, übersetzt von Irving A. Leonhard, New York, 1956.

Ehrismann, Gustav. „Er heißt Lapsit exillis". Zeitschrift für das Altertum, 65 (1928).

Eppelsheimer, Rudolf. Mimesis und Imitatio Christi. Bern: Francke, 1968.

Ernst, Paul. Brunhild, Ninon de Lenclos, Ritter Lanval, Der Zusammenbruch des Idealismus, Gesammelte Werke, München, 1931—32.

Der Weg zur Form, München, 1928.

Paul Ernst und das Drama, Langensalza, 1939.

Furlani, Giuseppe. „Sui Yezidi". Rivista degli Studi Orientali, Rom, 13 (1932).

Grass, Karl Konrad. Die geheime heilige Schrift der Skopzen. Leipzig, 1904.

Die russischen Sekten, 2 Bd., Leipzig, 1905—09.

Guyard, Stanislas. „Un grand maître des Assassins". Journal Asiatique, 9 (April—Juni 1877).

Hambruch, Paul. Die Märchen der Weltliteratur, Bd. 12: Südseemärchen, Jena 1921.

Hartmann, Eduard von. Die Philosophie des Unbewußten, 1865.

Hauptmann, Gerhart. Indipohdi, Der weiße Heiland. Gesammelte Werke, 1. Abteilung, Bd. 8, Berlin, 1943.

Herrmann, Paul. Die Geschichte von Ragnar Lodbrok, Die Geschichte von Hrolf Kraki. Sammlung Thule, Bd. 21, Jena 1923.

Höhne, Erich. Adriaen Brouwer, Leipzig 1960.

Malory, Sir Thomas. Complete Works, Hrsg, Eugène Vinaver, 3 vols., Oxford University Press, 1947.

Marie de France. Lai de Lanval, in Lais Bretons, Hrsg. K. Warncke, Halle, ³1925.

Morris, Harry. „Hamlet as a memento mori poem". Publications of the Modern Language Association of America, 85 (1970), 1035.

Nossack, Hans Erich. „Natascha bleibt, der Historie zum Trotz". Die Welt, 1. November 1969.

Oppenheim, Max Freiherr von. Vom Mittelmeer zum Persischen Golf. 2 Bd., Berlin, 1899–1900.

Palm, Erwin Walter. Der Mann von Rabinal oder der Tod des Gefangenen. Tanzspiel der Maya-Quiché. Frankfurt: Suhrkamp, 1961.

Péladan, Joséphin. Histoire et Légende de Marion de Lorme. Paris, 1927.

Peukert, Will Erich. Die Rosenkreutzer, Jena 1928.

Pohorilles, Noah Elieser. Das Popol Vuh, die mythische Geschichte des Kiče-Volkes in Guatemala, Leipzig, 1913, Mythologische Bibliothek 6.

Prescott, William H. The Conquest of Mexico. Everyman's Library, London 1933.

Ringbom, Ralph Iva. Graltempel und Paradies, Stockholm: Handlingar, 1951.

Rhodes, Henry T. F. The Satanic Mass, New York, 1955.

Roskoff, Gustav. Die Geschichte des Teufels, Leipzig, 1869.

Schiele, Egon. Briefe und Prosa, hrsg. von Arthur Roeßler, Wien: Lányi, 1921.

Schultz, Wolfgang. Einleitung in das Popol Vuh. Leipzig 1913, Mythologische Bibliothek 6.

Spunda, Franz. Geschichte der Medici, München 1944.

Swinburne, Algernon Charles. Poems and Ballads. I. Serie, Bd. I, London, 1904.

Tennyson, Alfred Lord. The Idylls of the King, New York, 1939.

Tritchie, Leon L. „The Concept of the Hermaphrodite". German Life and Letters, 23 (1970).

Venturi, Lionello. Sandro Botticelli. London: Phaidon, 1938.

Wember, Paul. Die Jugend der Plakate. Krefeld: Scharpe, 1961.

Wittkopp-Meinardeau, Gabrielle. E. T. A. Hoffmann. Hamburg: Rowohlt, 1966.

Yeats, William Butler. The Green Helmet, in Plays in Prose and Verse, London, 1931.

Abbildungen

Quellenangabe der Abbildungen: wenn nicht eigens vermerkt, alle verwendeten Bilder stammen aus dem Stucken-Archiv, Berlin, Holbeinstraße 63 und wurden mit Genehmigung der Stucken-Erben herangezogen.

Namenverzeichnis